Y0-CBT-393

아이세움 논술 | 명작 2

걸리버 여행기

감수 및 개발 참여

책임 감수

박우현　전 한우리독서문화운동본부 교육원장, 동국대 철학 박사

논술 집필진

김창준　경희초등학교 수업개선 연구교사, 독서담당
문계연　논술 연구 및 집필가, 연세대 윤리교육대학원 석사
박민미　동국대 강사, 독서평설 필자, 동국대 철학 박사 수료
오창희　독서지도사, 논술지도사, 고려대 국어교육대학원 석사

아이세움 논술 | 명작 2
걸리버 여행기

원작 조나단 스위프트 | **엮음** 고은주 | **그림** 윤유리 | **감수** 박우현
펴낸날 2005년 12월 20일 초판 1쇄, 2013년 10월 25일 초판 11쇄
펴낸이 김영진

본부장 조은희 | **사업실장** 이영호
편집장 박철주 | **편집 · 진행** 박은식, 박희정, 임지은, 위혜정 | **디자인** 서남이
펴낸곳 (주)미래엔 | **주소** 서울시 서초구 잠원동 41-10
전화 마케팅 02)3475-3843~4 편집 02)3475-3924 | **팩스** 02)541-8249
등록 1950년 11월 1일 제16-67호 | **홈페이지** www.i-seum.com

저작권자의 동의 없이 무단 복제 및 전재를 금합니다.
이 책에 쓰인 사진의 저작권은 (주)타임스페이스에 있습니다.

ISBN 978-89-378-4085-2 74840
ISBN 978-89-378-4116-3 (세트)

· 책값은 뒤표지에 있습니다.
· 파본은 구입처에서 교환해 드리며, 관련 법령에 따라 환불해 드립니다. 다만, 제품 훼손 시 환불이 불가능합니다.

Mirae Ⓝ 아이세움은 (주)미래엔의 어린이책 브랜드입니다.

아이세움 논술 | 명작 2

걸리버 여행기

조나단 스위프트 원작

고은주 엮음 | 윤유리 그림

아이세움
i-seum

좋은 책 한 권이 열 학원보다 낫습니다

세월이 가도 우리의 가슴에 남아있는 책이 고전이요, 시간이 흘러도 우리의 머리에 오래 기억되는 작품이 명작입니다. 좋은 책은 읽는 것만으로도 가치가 있습니다. 어렸을 때 감동 깊게 읽은 책들은 세월이 가도 내 몸에 향기로 남습니다. 책의 향기는 그 어떤 향기보다 향기롭습니다.

독서를 한 후에 생기는 느낌은 상당히 중요합니다. 나의 느낌은 나만의 재산입니다. 그 느낌을 말로 표현하거나 글로 써보면 한 번 더 생각하는 사람이 됩니다. 한 번 더 생각하면 생각이 깊어지고 정확해집니다.

〈아이세움 논술 l 명작〉은 '좋은 책을 한 번 더 읽자' 는 의도에서 만든 것입니다. 책은 읽어야 내 것이 됩니다. 느낌으로 다가오고 생각으로 다가옵니다. 그러나 학년이 올라가면 올라갈

수록 느낌만이 아니라 자신의 생각도 중요해집니다. 나의 생각이 곧 내가 누구인지를 알려주는 것이기 때문입니다.

어떤 문제에 대해 자신만의 생각을 적절한 이유와 더불어 쓰는 것이 논술입니다. 〈아이세움 논술 l 명작〉은 책을 다 읽은 후에 그와 관련된 것들을 한 번 더 생각해보는 데 도움을 줍니다. 그리하여 우리가 읽은 명작을 내 것이 되도록 도와줍니다. 논술 워크북과 가이드북이 그 역할을 할 것입니다.

좋은 책 한 권은 열 학원보다 낫습니다.

쓰기가 싫으면 그냥 재미있는 책만 읽어도 됩니다. 명작을 읽는 것만으로도 훌륭한 공부를 하는 것이니까요. 그러다 어느 순간에 쓰고 싶은 생각이 들면 써 보세요. 생각나는 대로 써도 좋습니다. 쓴다는 사실만으로도 한 단계 발전한 것이니까요.

가슴에 쓰는 글은 나를 위해 쓰는 글이며 종이에 쓰는 글은 역사를 위해 쓰는 글입니다. 글이 역사를 만듭니다. 명작과 더불어 향기를 느끼고 자신의 글과 더불어 생각하는 사람이 되기를 진심으로 바랍니다.

전 한우리독서문화운동본부 교육원장

박우현

명작 읽기의 소중함

열심히 책만 읽기에는 너무 고단한 우리 학생들에게 다시 '논술' 열풍이 불고 있다. 학생들이 스스로 즐겨 그렇게 된 것은 아니지만, 학생들을 위해 결코 나쁜 일이라고만 말할 수는 없을 것이다.

새삼스러운 얘기일 터이지만 좋은 글을 쓸 수 있는 가장 빠른(빠른) 길은 "많이 읽고(다독多讀)·많이 쓰고(다작多作)·많이 생각(다상량多商量)"하는 삼다(三多)밖에 다른 것이 없다.

먼저 다독이 문제다. 많이 읽는다고 해서 아무 책이나 마구잡이로 읽는 것을 다독이라고 하지는 않는다. 많이 읽되, 좋은 책을 읽을 때 그것이 다독이다. 그렇다면 어떤 책이 좋은 책일까?

우선 고전이라 할 명작에는 사람이 세상을 살면서 알아야 할 온갖 삶의 지혜와 가치가 담겨 있다. 가령 〈지킬 박사와 하이드〉에서는 인간 내면에 혼재해 있는 선과 악의 대립을, 〈동물농장〉

에서는 삶을 한없이 타락시키는 전체주의와 아름다운 삶을 지향하는 인간의 무한한 이상의 끊임없는 갈등과 투쟁에 대한 반추를 해 볼 수 있다. 이런 고전을 재미있게 읽고 생각하는 기회를 갖는 것이 바로 좋은 글을 쓸 수 있는 바탕이다. 문제는 고전이 너무 어렵고 분량이 방대하다는 점이다.

이번에 출간된 〈아이세움 논술 I 명작〉은 원전의 내용을 재구성해 어린 학생들이 쉽게 고전과 친해지도록 만들었다. 지루함을 덜기 위해 캐릭터를 사용해서 그 캐릭터들과 끊임없이 교감하며 끝까지 책을 손에서 놓지 못하게 만든 것도 이 시리즈의 특색이요 장점일 터이다. 책 뒤에 논술을 학습할 수 있도록 논술 워크북과 가이드북을 제공하여 '학습과 논술'이라는 두 문제를 다 해결할 수 있도록 배려한 점도 주목할 만하다. 어린 학생들이 편안하고 소중한 독서 경험을 하리라 본다.

물론 이 명작선은 완역본이 아니므로 이것만 읽어서는 해당 작품을 제대로 읽었다고 말할 수 없을 것이다. 그러나 훗날 학생들이 성장하여 완역본으로 다시 읽고 올바르게 이해하는 데 큰 도움이 되도록 세심한 배려를 했다.

이 점도 이 시리즈가 귀하고 값진 이유이다.

시인

신경림

| 차 례 |

안녕,
난 '뒤뚱뒤뚱 배꼽'!
그냥 뒤뚱이라고 불러.
걸리버와의 멋진 항해를
내가 도와 줄게.

난 '번쩍이는 이빨',
줄여서 번뻐리라고 불러 줘.
항상 논리적이고 비판적으로
생각해야 해! 그럼, 출발!

목차를 보니까
벌써부터 가슴이
두근거려.

그만 뜸들이고
이제 넘어가자.
목차 다 봤다 아이가!

튜브   팬티맨   박테리아   고로케

PART 1
PART 1 PART 1
PART 1 PART 1 PART 1
PART 1 PART 1 PART 1 PART 1
PART 1 PART 1 PART 1 PART 1
PART 1 PART 1 PART 1 PART 1 PART 1
PART 1 PART 1 PART 1 PART 1 PART 1
PART 1 PART 1 PART 1 PART 1
PART 1 PART 1 PART 1

PART 1 PART 1 PART 1

명작 살려보기

먼저, 〈걸리버 여행기〉가
어떤 책인지 알아 볼까?

PART 1

명작 살펴보기

걸리버가 남기고 간 것

걸리버와 함께 엄청나게 고생하며 4개국 탐방을
무사히 마치고 돌아온 번빠리 기자.
돌아오자마자 세움일보에
'걸리버가 남긴 것'이라는 제목의 기사를 실었는데,
신문을 본 모든 독자들의 배꼽이 빠졌다나, 뭐라나!

도대체
뭘 남겼기에
이 난리야!

그래도 1억 년쯤
퇴비 걱정은 안 해도
되겠는걸.

넉넉, 더 괴워.
며칠만 더 있었으면
걸리버 똥으로
온 나라가
오염됐을 거야.

그래도 설사가
아닌 걸 다행으로
생각해.

걸리버 똥

어서 좀
치워!

작은 사람들의 나라

머리가
지끈거려서!

번빠리 기자는 기사를 본 걸리버가 화를 내며
명예 훼손으로 자신을 고발하지 않을까 걱정했으나,
당시 걸리버는 마구간에서
말들과 이야기를 나누느라 **정신이 없었다고.**

걸리버가 여행을 떠났어요.

아이고 시끄러워라. 여기저기에서 걸리버의 똥을 보고 말들이 참 많네요. 같은 똥일 뿐인데도 보는 사람에 따라 생각이 다른가 봐요. 이렇게 다양한 사람들 틈에서 여행을 해야 하는 걸리버는 무엇을 느끼게 되었을까요?

오늘 우리가 함께 읽어 볼 명작은 〈걸리버 여행기〉입니다. 조나단 스위프트의 작품 〈걸리버 여행기〉는 모험심 많은 걸리버가 미지의 세계로 여행을 떠나는 이야기예요. 여러 나라를 돌아다니면서 걸리버는 새로운 경험을 하게 되지요. 네 번의 항해 끝에, 걸리버는 평생 살아도 못 깨우칠 교훈을 아주 많이 얻게 된답니다.

내가 꿈꾸는 세상은 어디에 있을까?

걸리버는 여행 중에 관습과 제도에 꽁꽁 묶인 사람들과, 그것들에서 완전히 자유로운 사람들을 만났어요. 그리고 걸리버는 우리가 사는 사회에 대해 의심을 품게 되었죠. 과연 걸리버는 무사히 여행을 끝마칠 수 있을까요? 말도 많고 탈도 많은 걸리버의 여행 속으로 함께 떠나 볼까요?

〈걸리버 여행기〉는 미국대학위원회 추천도서 목록에도 포함되어 있지. 〈걸리버 여행기〉를 읽으면서 생각의 날개를 활짝 펼쳐 볼까?

Start 발단

걸리버의 첫 번째 항해. 걸리버는 작은 사람들이 사는 나라에 도착한다. 힘이 센 걸리버는 국왕의 총애를 받지만, 곧 신하들의 시기와 모략에 의해 반역 죄인으로 몰린다.

expansion 전개

두 번째 항해에서 걸리버는 큰 사람들이 사는 나라에 도착한다. 걸리버의 재치 있는 행동은 많은 사람들을 즐겁게 해 주지만, 사람들에게 장난감 취급을 받는 걸리버는 즐겁지 못하다.

climax 절정

세 번째 항해에서도 걸리버는 삶의 의욕을 발견하지 못한다. 걸리버가 네 번째로 도착한 말들의 나라에서 걸리버는 진정한 삶의 의미를 찾지만, 결국 이 나라를 떠나야만 한다.

ending 결말

말들의 나라를 떠난 걸리버는 고향으로 돌아오지만 여전히 삶에 적응하지 못한다. 걸리버는 마구간에 들여놓은 말들과 대화하는 것으로 하루하루를 살아간다.

동화 속에 숨어 있는 날카로운 비판 정신

"정치인은 모두 바보들이다!"

"학자들은 쓸데없는 연구에 시간을 허비하고 있다!"

만약 누군가가 이런 이야기를 외치고 다닌다면 어떻게 될까요? 아마 많은 사람들이 기분 나빠 하겠죠?

그러나 18세기 영국 사회는 비판해야 할 것들로 가득 차 있었지요. 그래서 작가들은 재미있는 이야기를 통해 사회를 비판했어요.

동화처럼 재미있는 모험담 속에 날카로운 비판 정신을 숨겨 놓은 것이지요. 이 책을 읽는 독자들이 즐겁게 책장을 넘기는 사이에 이 사회가 안고 있는 모순들을 발견할 수 있도록 말이에요. 이러한 방법의 글쓰기를 풍자라고 한답니다.

풍자 소설 속에는 시대를 꾸짖는 작가의 정신이 숨어 있어요.

◀ 풍자 소설에는 사회를 비판하고 조롱하는 내용이 담겨 있습니다.

나라가 정한 법과 제도를 잘 지키는 국민이 훌륭한 국민이지.

우리가 사는 세상은 과연 올바른 세상일까요?

이야기 속의 걸리버는 한 곳에 정착하지 못하고 자꾸만 새로운 세상을 찾아서 여행을 떠난답니다. 걸리버가 도착한 곳의 사람들은 자기들이 가장 이성적이고 합리적이라고 생각해요.

하지만 법과 제도에만 꽁꽁 묶여 있는 사회는 정말 숨이 막혀.

그러나 걸리버의 눈에는 엉뚱하고 우스운 모습으로 보이지요. 작가는 걸리버의 경험을 통해 우리가 함께 만들어 나가야 할 이상적인 세상의 모습을 찾기 위해 고민했어요. 여러분도 비판적인 시각을 가지고 함께 여행을 떠나 보세요.

◀ 18세기, 영국을 비롯한 강대국들은 서로 다투며 항해를 통해 미지의 세계를 탐험하려 했습니다.

 잠시 휴식! 우유 한 잔 마시고 〈걸리버 여행기〉를 읽어 보세요!

PART 2

명작 읽기

자, 그럼 걸리버와 함께
모험을 떠나 볼까요?

PART 2

명작 읽기

1장
작은 사람들의 나라, 릴리펏

릴리펏의 포로

1699년 5월 4일, 윌리엄 선장의 앤털로프 호는 브리스틀 항구에서 닻을 올렸다. 외과의사인 나는 선장에게서 아픈 선원이 생기면 돌봐 줄 것을 부탁받고 앤털로프 호의 남대양 항해길에 함께 올랐다. 오랜만에 바다로 나선 터라 기분도 좋았고 항해는 순조로웠다.

그러나 동인도로 가는 길에 폭풍을 만나, 앤털로프 호는 반디멘스랜드 서북쪽, 남위 30도 부근까지 떠밀려 갔다. 그 날은 11월 15일이었는데, 초여름 날씨였다.

그 때 갑자기 짙은 안개가 몰려왔다. 노련한 선원들도

바짝 긴장했다. 역시나 안개 사이로 커다
란 암초가 모습을 드러냈고 선원들은 급히
뱃머리를 돌렸다. 그 순간 앤털로프 호는 암초^{暗礁}
에 부딪혔고 산산조각이 났다.

나는 다행히 여섯 명의 선원과 함께 무사히 보
트로 옮겨 탔다. 그러나 곧 삼킬 듯이 몰아치는
파도에 보트마저 뒤집히고 말았다. 나는 모든 것을 하늘
에 맡기고 파도에 몸을 실었다. 다른 사람들이 어떻게 되
었는지 신경 쓸 틈이 없었다.

발가락 하나 까딱할 기운조차 남지 않았을 때, 발이
땅에 닿았다. 몸을 세우고 보니, 어느 이름 모를
해변이었다. 몹시 지쳐 있었던 나는 뭍에 나오자
마자 풀썩 쓰러져 잠이 들었다.

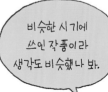

깊은 잠에서 깨어 보니 한낮이었다. 햇살이 눈

암초(暗礁) : 물 속에 숨어 있어 보이지 않는 바위.

여기서 잠깐!
이 책에서는 소인국이라는 말 대신에
'작은 사람들의 나라'라고 할 거야.
소인은 '작은 사람'이라고 하고.
왜냐, 우리 말이 좋으니까.

부셔 얼굴을 가리려는데 팔을 옴짝달싹할 수 없었다. 잠든 사이 누군가 팔다리를 땅에 단단히 붙들어맨 것이었다. 왼쪽 다리 위로 무언가가 스멀스멀 기어오르더니 가슴 쪽으로 움직였다. 그것이 거의 턱 밑에 이르렀을 때, 나는 눈을 아래로 내리뜨고 내려다보았다. 놀랍게도 거기에는 12센티미터쯤 되는 아주 작은 사람이 서 있었다. 그 뒤로 수십 명이 더 보였다. 나는 깜짝 놀라 비명을 질렀다. 작은 사람들도 그 소리에 놀라 도망치거나 기절했다.

잠시 후 작은 사람들은 다시 내 몸 위로 올라왔다. 그 중에 한 사람이 내 턱 밑에서 손을 높게 치켜세우며 위엄 있게 말했다.

"헤키나 데굴!"

그러자 다른 사람들도 그 말을 따라 말했다. 물론 그 말이 무슨 뜻인지 알 수 없었다.

나는 오랫동안 불편한 자세로 묶여 있었다. 덕분에 몸

흥, 나라면 벌떡 일어나서 작은 사람들을 혼내 주었을 걸.

구석구석이 욱신욱신 결렸다. 더는 견딜 수 없어서, 몸을 조금씩 움직였다. 그러자 왼쪽 팔을 묶고 있던 줄이 끊어졌다. 좀 더 힘을 주니, 팔을 고정하고 있던 말뚝이 뽑혔다. 그걸 보려고 고개를 치켜든 순간, 머리카락이 심하게 잡아당겨지더니 아팠다. 나는 왼팔로 머리를 묶고 있는 줄들을 조금씩 느슨하게 만들었다. 덕분에 고개를 들어 주변을 살펴볼 수 있었다. 바로 그 때 어디선가 사납고 커다란 소리가 들렸다.

"톨고 포낙!"

바늘같이 작은 화살들이 내 왼손을 향해 빗발쳤다. 나는 몸을 묶고 있는 줄을 서둘러 풀려고 몸부림을 쳤다. 그러자 작은 사람들은 더 많은 화살을 퍼부었다. 물소 가죽으로 된 옷을 입고 있어, 다행히 크게 다치진 않았다. 다시 생각해 보니 가만히 있는 편이 나을 것 같았다. 꼼짝 않고 누워 있으니 작은 사람들도 이제 더 이상 화살을 쏘지 않았다.

시끌벅적한 소리가 나서 돌아보니 아까보다 작은 사람들이 훨씬 많았다. 그들은 뭔가를 만드느라 망치질에 톱질을 하며 한 시간 남짓 수선을 피웠다.

그들은 땅에서 약 50센티미터 높이의 연단을 만들었다. 그 위로 신분이 높아 보이는 사람이 사다리를 타고 올라가더니, '랑그로 데훌 산'이라고 말했다. 그는 몇 번 그 말을 섞어 가며 뭐라 뭐라 말했다. 작은 사람의 말이 끝나자, 다른 여러 명의 작은 사람들이 내 머리카락을 묶고 있던 줄을 잘랐다. 그제야 자유롭게 머리를 돌려 그들을 바라볼 수 있었다. 신분이 높아 보이는 작은 사람의 연설演說은 제법 흥미로웠다. 달래는 눈빛이었다가 너그러운 얼굴이 되었다가는 으름장을 놓았다. 작은 사람이 대답을 기다리는 눈치기에, 나는 무조건 고개를 끄덕여 주었다.

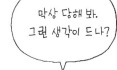

막상 당해 봐.
그런 생각이 드나?

연설(演說) : 많은 사람 앞에서 자기의 주장, 사상, 의견 따위를 말함. 또는 그 말.

그러고 나니 배가 고팠다. 그래서 입을 가리키며 먹을 것을 달라는 시늉을 했다. 신분이 높아 보이는 작은 사람이 부하들에게 지시를 내렸다. 그러자 곧 음식을 가져왔다. 그들은 내 허리춤에 사다리를 가져다 놓고 고기가 가득 들어 있는 바구니를 내 입으로 옮겼다. 작은 사람들은 끊임없이 음식을 먹여 주었다. 하지만 종달새 날개보다도 더 작은 고깃덩어리는 한 번에 서너 개씩 먹어치워야 겨우 씹는 맛이 났다. 작은 사람들은 내가 먹어치우는 엄청난 양에 입을 떡 벌리고 놀라는 눈치였다.

배고픔을 면하자, 나는 작은 사람들에게 정중히 고맙다고 말했다. 작은 사람들은 마치 그 말을 알아들은 것처럼 만족스러워하며 춤을 췄다. 그들은 내 몸에 박힌 화살들을 뽑아 내고 상처에 약을 발라 주었다.

다시 한 번 여러 명이 연단 위로 올라왔다. 그 가운데 한 사람이 뭐라 뭐라 말하며 손으로 앞쪽 어딘가를 가리켰다. 나는 알겠다는 뜻으로 고개를 끄덕인 뒤에, 몸짓으로 풀어 달라고 요구했다. 그러자 작은 사람은 단호하게 고개를 저었다. 그럴 수는 없다는 뜻 같았다. 대신에 그는 작은 사람들을 시켜 나를 묶고 있는 줄을 느슨하게 풀어 주었다.

잘 먹고 몸이 느슨하게 풀어진 탓인지 졸음이 왔다. 나중에 알고 보니 음식에 수면제를 넣었다고 했다. 그것은 작은 사람들의 국왕이 나를 궁궐로 데려가려고 쓴 계책이었다. 굉장히 현명한 결정이었다. 똑같은 상황에서 유럽의 왕들은 그런 계책을 세우지 못했을 것이다.

작은 사람들은 나를 궁궐로 옮기기 위해 체계적인 준비를 했다. 목수와 기술자 5백 명이 나를 싣고 갈, 길이 2미터의 대형 수레를 만들었고 키가 12센티미터인 말 1천 5백 마리가 끌었다. 나를 실은 수레와 행렬은 다음 날 정오에야 궁궐 앞에 이르렀다. 그 때 갑자기 재채기가 나는 바람에 깊은 잠에서 깼다. 둘러보니, 구경 나온 작은 사람들이 내 몸 위로 올라와 소동을 벌이고 있었다. 국왕은 내 몸 위로 허락 없이 올라가면

걸리버가
재채기를 한 이유!
난 알지! 그건 작은 사람이
걸리버의 코털을
건드렸기 때문이야!
우하하하, 진짜야!

이 작은 사람들의
나라 이름도 릴리펏이라고 해.
릴리펏의 국왕님은 스물여덟 살로,
7년 동안 릴리펏을
평화롭게 다스렸다나, 뭐라나.
이상 번빠리 기자였습니다.

사형에 처하겠다는 엄포를 놓았다.

작은 사람들의 나라는 나에게 넓은 정원처럼 보였다. 숲은 낮은 수풀 같았다. 키가 가장 큰 나무도 2미터밖에 안 됐다. 이 나라 사람들 중에서 키가 제법 큰 편인 국왕도 내 손가락만 했다.

나는 온갖 유럽의 언어로 국왕과 대화를 해 보려고 했으나 통하지 않았다. 작은 사람들은 지금껏 한 번도 들어 보지 못한 낯선 언어言語를 썼다. 결국 몸짓과 표정으로 이야기를 나눌 수밖에 없었다.

나는 보름 동안이나 사원의 맨땅 위에 누워서 잤다. 그것은 고된 일이었다. 국왕은 곧 작은 사람들을 시켜 6백여 개의 침대를 사원으로 옮겨 오게 했다. 작은 사람들은 150개의 침대를 하나로 묶고 또 그것을 네 겹으로 모아 내 몸을 지탱할 만한 큰 침대를 만들었다. 그들은 내가 덮

언어(言語) : 생각이나 느낌을 음성으로 전달하는 것.

걸리버가 똥을 누거나
오줌을 누면 어땠을까요?
상상해 보세요.

을 이불과 옷도 만들었다.

어떤 작은 사람은 돌을 던지거나 막대로 간지럼을 태우는 등 매우 성가시게 굴었다. 그럼에도 나는 그들의 불쾌한 행동을 최대한 참았다. 훗날 국왕은, 그 모습을 보고 좋은 인상을 받았다고 말했다.

먼 시골에서부터 가까운 도시 사람들까지 방방곡곡에서 구경꾼이 몰려들었다. 작은 사람들은 어느 새 나를 '산 같은 사람'으로 부르고 있었다.

그들은 왕의 명령 때문에 내 몸 위로 함부로 올라오지 못하고 가까이서 지켜보기만 했다. 하지만 국왕이 내 근처에 누구도 가까이 가서는 안 된다는 명령命令을 내리자, 그마저도 하지 못하게 되었다.

처음에 나를 두려워했던 작은 사람들은 1주도 못 되어, 나를 골칫거리로 여겼다. 어떤 이는 내가 먹어치우는 음

명령(命令) : 윗사람이 아랫사람에게 시킴, 또는 그 말.

작은 사람들의 증언에 따르면 오줌은 폭포 같았대. 그리고 응아는 두 명의 시종이 매일 수레로 치워야 했다나, 뭐라나.

식이 만만치 않게 많다고 말했고, 어떤 이는 언제 어떻게 나쁜 마음을 먹을지 모른다고 말했다.

그런 상황을 몰랐던 나는 그들을 해치지 않을 것이라는 뜻을 전하기 위해 노력했다. 물론 그들은 내 말을 조금도 알아듣지 못했다.

국왕은 매일 아침 소 여섯 마리와 양 마흔 마리를 포함해 내가 먹을 수 있는 충분한 식량을 바치라는 칙령(勅令)을 각 마을에 내렸다. 그것은 곧 나를 받아들인다는 뜻이었다.

릴리펏에서 3주를 보내는 동안, 국왕은 언어와 관습을 가르치는 학자들과 함께 나를 찾아오곤 했다. 나는 제일 처음 '자유를 원한다' 는 말을 배웠다. 날마다 국왕 앞에 무릎을 꿇고 그 말을 반복해서 말했다. 발목에 묶인 굵은 쇠사슬을 내려다볼 때마다 몹시 비참했던 것이다. 그 때마다 국왕은 좀 더 기다리라고 대답했다.

칙령(勅令) : 임금의 명령.

며칠 후 두 명의 관리가 나를 찾아왔다.

"산 같은 사람, 오늘 우리는 당신의 몸을 수색할 것입니다. 폐하께서는 당신의 관대함과 정의로움을 믿으신다며, 혹 문제가 되는 물건이 있다면 잠시 맡아 두었다가 당신이 릴리펏을 떠날 때 돌려주시겠다고 하셨습니다."

나는 알겠다는 뜻으로 고개를 끄덕이고는 그 둘을 외투 주머니에 넣었다. 그들이 외투 주머니를 모두 살펴본 다음에는, 다른 주머니에 넣어 주었다.

두 관리는 펜으로 국왕에게 보일 목록에 자신들이 본 물건들을 상세히 기록해 국왕에게 가져다 주었다.

"산 같은 사람의 외투 주머니에서 천 조각 하나를 찾았습니다. 이것은 폐하의 의자가 놓여 있는 이 넓은 대전을 모두 덮을 만한 크기였습니다."

그것은 내 손수건이었다.

"왼쪽 조끼 주머니엔 궁전의 철책과도 같은 막대기가 들어 있었습니다. 그것은 산 같은 사람의 머리빗이 아닐까 생각됩니다."

은시계를 모르다니! 그건 시계가 없다는 소리? 그럼, 시간 약속을 어떻게 지켰을까?

"한쪽은 은이고, 다른 한쪽은 투명한 유리로 만든 타원형의 물건도 있었습니다. 그것은 물레방아 같은 소리를 내며 쉴새없이 움직였습니다. 아마도 어떤 종류의 알려지지 않은 동물이거나, 산 같은 사람이 숭배崇拜하는 신이 아닌가 합니다. 왜냐하면 산 같은 사람의 말이, 자신은 모든 일을 그것에 따라 한다고 했거든요."

은시계를 놓고 두 신하는 한참이나 거창한 설명을 했다. 그러고는 어지럽다는 듯 고개를 저으며 이렇게 덧붙였다.

해를 보고 대충 지켰겠지, 뭐!

"산 같은 사람을 수색하는 것은 엄청난 모험이었습니다. 발이 푹푹 잠기는 먼지들이 우리를 공격했거든요."

국왕은 목록을 보며, 대신들과 의논한 끝에 권총과 칼, 화약 가방만 창고로 옮기게 했다.

숭배(崇拜) : 훌륭히 여겨 마음으로부터 우러러 공경함.

그 일이 있은 뒤, 작은 사람들은 내 손바닥 위에서 즐겁게 춤을 추거나 머리카락 속에서 장난을 치며 조금씩 경계를 풀었다. 그 사이 나도 릴리펏의 말을 제법 익혔다.

달걀 전쟁

어느 날 국왕은 릴리펏의 전통 놀이를 보여 주었다. 약 30센티미터 높이에서, 60센티미터 길이의 가늘고 흰 줄을 타는 외줄타기였다. 땅에서 30센티미터면 족히 작은 사람들 키의 두 배는 되었다.

국왕의 신임을 얻거나, 높은 자리에 오르고 싶은 사람들이 자신의 능력과 충성심을 보이기 위해 이 위험한 외줄타기를 한다고 했다.

가장 오랫동안 줄에서 떨어지지 않고 춤을 추는 사람이 높은 직위를 얻게 된다. 이미 궁궐에 들어온 대신들도 이따금 줄타기를 하여, 국왕에게 자신의 충성심을 보여 주곤 했다. 때때로 줄 위에서 묘기를 부리다 다치는 일도 있었다. 재무 대신 플림

릴리펏 사람들은 젖 떼기 전부터 외줄타기 연습을 한다는구먼. 출세의 지름길, 외줄타기~.

잠깐, 가장 높이 뛰어오른다는 플림냅은 국왕에게 제일 신임받는 자겠지? 이 대목에서 그를 주목하지 않을 수 없군.

냅이 가장 높이 뛰어오르는 묘기를 보여 주었다.

또다른 놀이는 유럽이나 다른 어느 대륙에서도 본 적이 없는 것이었다. 국왕이 두 손으로 막대기를 수평이 되도록 잡고 있다가 그것을 올리고 내릴 때마다 한 명씩 차례로 나와, 뛰어넘거나 아래로 피한다. 가장 재치있게 막대를 피한 1등에게는 파란색 줄이, 2등에게는 빨간색 줄, 3등에게는 초록색 줄이 주어진다. 궁중의 고관들은 모두 이 비단실을 장식처럼 두르고 있었다.

어느 날 나는 아주 재미있는 생각이 났다. 굵은 막대기로 한 변의 길이가 75센티미터인 정사각 틀을 만들고 60센티미터 길이의 막대기 4개로 다리를 만들었다. 그 위에 손수건을 팽팽하게 잡아당겨 4개의 다리에 묶으니, 탄탄해졌다. 나는 탄탄한 손수건 위에 말을 탄 군사들을 올려놓았다. 그들은 둘로 나뉘어 군사 훈련

하하하, 신하들이 파란줄, 빨간줄, 초록 줄로 치장하고 있던 이유가 있었구면!

을 했다.

국왕은 당장 무대를 만들어 그 모습을 구경했다. 손수건에 구멍이 뚫려 더 이상 쓸 수 없게 될 때까지 그것은 최고의 구경거리로 사랑받았다.

얼마 뒤, 국왕은 내게 자유를 주겠다고 말했다. 까다로운 절차를 거쳐야 했지만, 반가운 일이었다. 이 곳에 온 뒤, 나는 자유를 얻기 위해 수많은 탄원欸願서와 진정서를 냈었다.

스키레시 볼골람 해군 사령관은 내가 자유를 얻기 위해 지켜야 할 9개 조항을 만들었다. 그는 유능한 사람이었지만, 이상하게도 나를 싫어했다. 조항은 아래와 같았다.

첫째, '산 같은 사람'은 국왕의 허락 없이 릴리펏을 떠날 수 없다.

둘째, '산 같은 사람'은 국왕의 명령 없이 도성에 들어

탄원(欸願) : 사정을 말하고 도와 주기를 간절히 바람.

올 수 없다.

셋째, '산 같은 사람'은 농장이나 곡식이 자라는 밭에 함부로 들어가거나 눕지 않는다. 걸어다닐 때는 늘 국도를 이용한다.

넷째, '산 같은 사람'은 릴리펏의 백성이나 집, 동물을 밟지 않는다.

다섯째, '산 같은 사람'은 칙사를 보낼 때, 주머니에 칙사와 말을 넣어서 옮겨 주어야 한다.

여섯째, '산 같은 사람'은 블레퍼스큐와 싸울 때, 릴리펏을 돕는다.

일곱째, '산 같은 사람'은 일꾼들을 도와서 큰 돌을 옮겨 주는 등, 건물이나 궁궐 짓는 일을 돕는다.

여덟째, '산 같은 사람'은 릴리펏의 해변을 한 바퀴 돌고, 그 발자국 수로 릴리펏의 면적을 알아 낸다.

마지막으로, '산 같은 사람'이 이 모든 조항을 지킨다면 매일 1,728명이 먹을 분량의 고기와 마실 것을 지급받을 것이다. 또 릴리펏의 국왕을 자유롭게 만날 수 있으며,

그 밖에 다른 호의도 받게 된다.

몇 개의 조항(條項)은 마음에 들지 않았지만, 나는 즐거운 마음으로 지키겠다고 약속했다. 국왕은 나에게 좋은 국민이 되어 달라고 말했다. 그리고 드디어 발목을 죄던 쇠사슬에서 풀려났다.

그 뒤, 나는 릴리펏에서 사귄 친구에게 나의 식사량으로 1,728명 몫이 어떻게 계산된 것인지 물어보았다. 친구의 말에 따르면 국왕이 수학자를 시켜 내 키를 잰 결과, 릴리펏 사람들의 키보다 18배가 컸다. 수학자들은 나의 몸이 릴리펏 사람 1,728명의 몸을 합친 것과 같은 크기를 가졌다고 말했다. 따라서 1,728명이 먹을 음식물이 필요하다는 결론을 얻었다는 것이다. 여기서 우리는 릴리펏의 국왕이 얼마나 치밀한지와 릴리펏이 수학적으로 얼마나 발달했는지를 알 수 있다.

작은 사람들과 걸리버가 함께 살려면 이런 조항들이 꼭 필요했을 것 같아. 먹여 주고 입혀 주는데 이 정도는 해야지, 안 그래?

조항(條項) : 정해 놓은 법률이나 규칙의 항목.

자유를 얻은 걸 리버가
제일 먼저 한 일이 뭘까?
그건 릴리펏의 도성인 밀텐도에
들어가 보는 거였단다.
거기서 궁궐도 구경했지.
이 장면들은 마음껏 상상해 보자.

자유를 얻은 지 2주일이 지났을 때, 비서실장 렐드레살이 찾아왔다. 그는 나에게 호의적이었으며 현명했다.

렐드레살은 먼저 자유自由를 얻은 것을 축하해 주었다. 나는 그를 내 손바닥 위에 올려놓았다. 자신보다 십여 배나 더 큰 나를 올려다보는 것은 목이 꽤 아픈 일일 거라고 생각했기 때문이다.

"사실 당신이 이렇게 빨리 자유를 얻은 것은 지금 릴리펏이 처한 두 가지 문제 때문이라고 할 수 있어요."

그는 조심스럽게 이야기를 꺼냈다.

"하나는 벌써 70개월째 두 파로 나뉘어 벌이고 있는 당파 싸움이에요. 그들은 각각 높은 굽과 낮은 굽의 구두로 서로를 구분한답니다. 국왕이 낮은 굽을 신고 있는 것은 보셨지요? 국왕은 '낮은 굽 파'를 적극 등용하고 있어요.

자유(自由) : 남에게 얽매이거나 구속받지 않고, 자기 마음대로 행동하는 일.

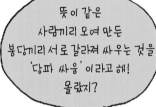

뜻이 같은 사람끼리 모여 만든 붕당끼리 서로 갈라져 싸우는 것을 '당파 싸움'이라고 해! 몰랐지?

그렇지만 왕위를 이어받을 왕자는 높은 굽을 신고 있고 '높은 굽 파'와 더 친합니다. 나라 안은 이 문제로 늘 시끄럽지요."

렐드레살은 한숨을 내쉬었다.

"외부적으로는 호시탐탐虎視眈眈 릴리펏을 노리고 있는 이웃 나라 블레퍼스큐가 문제입니다. 우리는 지난 36개월 동안 전쟁을 해 왔어요. 무엇 때문인지 아세요? 바로 달걀을 깨 먹는 방법 때문이랍니다."

"달걀을 깨 먹는 방법이요?"

"네. 달걀을 먹을 때, 갸름한 쪽을 깨서 먹는 것이 릴리펏의 법입니다. 지금 국왕의 할아버지께서 달걀의 넓고 둥근 쪽을 깨려다 손가락을 벤 사건이 있었지요. 그 일로 달걀을 먹을 때는 무조건 갸름한 쪽을 깨야 한다는 법이 만들어졌습니다."

나는 웃음이 나오는 것을 겨우 참았다. 릴리펏의 달걀

호시탐탐(虎視眈眈) : 틈만 있으면 덮치려고 기회를 노리며 형세를 살피는 일.

달걀 하나 때문에 전쟁이라니? 우습다고? 그런데 세계 역사를 살펴보면 이만큼 기막힌 전쟁이 왕왕 일어난단다.

은 내 새끼손톱보다 훨씬 작았는데, 어느 쪽을 깨나 마찬가지처럼 보였다. 그러나 렐드레살은 진지했다.

"국민들은 이 법 때문에 큰 혼란을 겪었어요. 더구나 이 일로 여섯 차례에 걸쳐 반란이 일어났죠. 반란을 선동한 것은, 이웃 나라 블레퍼스큐였습니다. 그래서 반란의 주동자들은 블레퍼스큐로 망명을 했지요."

"렐드레살, 당신도 달걀을 갸름한 쪽으로만 깨야 한다고 생각하나요?"

"물론 어느 방향으로 깨든, 그 방향이 중요한 것은 아니라고 생각합니다. 하지만 국왕이 그 방향을 결정할 수 있다고 생각합니다. 물론 그렇게 생각하지 않는 1만 1천 명이 반역죄反逆罪로 목숨을 잃었습니다. 또 블레퍼스큐로 망명한 사람들도 있지만요. 어쨌거나 이 전쟁은 벌써 36개월째 계속되고 있습니다. 그들은 언제 공격할지 기회만

반역죄(反逆罪) : 배반하며 돌아선 죄.

엿보고 있고요. 릴리펏의 국왕은 당신의 용기를 믿고 있습니다."

그 말에 나는 확신에 찬 목소리로 대답했다.

"난 먼 나라에서 온 사람이니 이 나라의 당파 싸움에 끼어들 수는 없지만, 전쟁 문제라면 릴리펏을 보호하고 지키겠습니다. 왕께 그렇게 전해 주세요."

렐드레살은 한결 밝아진 표정으로 돌아갔다.

또다른 작은 사람들의 나라인 블레퍼스큐는 릴리펏과 바다를 사이에 둔 이웃 나라였다. 지난 36개월 동안 전쟁으로 릴리펏은 군함 40척과 군사 3만 명을 잃었다. 블레퍼스큐의 피해는 그보다 컸다.

나는 노련한 선원들을 만나 바다에 대해 몇 가지 정보를 알아 두었다.

"깊이가 얼마나 됩니까?"

내가 묻자 선원들이 대답했다.

"만조 땐 가장 깊은 부분이 70글럼글러프스(약 180센티미터)이고, 보통 때는 50글럼글러프스(약 130센티미터)입니다."

블레퍼스큐가 바라다보이는 북동쪽의 해안으로 걸어간 나는 나지막한 언덕에 드러누웠다. 망원경으로 보니, 블레퍼스큐의 해안에 군함 50척이 정박해 있었다.

나는 50개의 쇠사슬 끝에 50개의 갈고리를 만들어 달았다. 그리고 만조滿潮가 되기 30분 전에 바다에 들어갔다. 채 30분이 못 되어, 블레퍼스큐의 항구에 도착했다.

"괴물이다! 바다 괴물이다!"

블레퍼스큐 사람들은 나를 보고 놀라서 비명을 지르거나 바다로 뛰어들었다. 먼저 배의 닻부터 모조리 끊어 놓았다. 그러고는 갈고리가 달린 쇠사슬로 블레퍼스큐의 군함들을 한 덩어리가 되도록 묶었다.

블레퍼스큐의 병사들이 화살을 쏘기 시작했다. 눈에 화살을 맞지 않도록 재빨리 주머니에서 안경을 꺼내 썼다. 안경알이 화살을 막아 주었다.

만조(滿潮) : 밀물로 해면이 가장 높아진 상태.

걸리버가 36개월이나 계속된 달걀 전쟁을 끝냈구먼. 그런데 이걸로 모든 것이 좋아진 걸까?

무수한 화살이 쏟아지는 동안 블레퍼스큐의 군함 50척을 갈고리로 연결해 끌고 릴리펏으로 향했다. 놀란 블레퍼스큐 사람들은 우왕좌왕右往左往했다. 완전히 절망한 블레퍼스큐 사람들 몇몇은 울음을 터뜨리기도 했다.

한편 릴리펏의 해변에는 나의 출전 소식을 전해 들은 국왕과 왕비 그리고 많은 관리들이 초조하게 기다리고 있었다. 나는 해변에서 기다리는 그들을 향해, 블레퍼스큐의 군함을 묶은 쇠줄을 높이 치켜들고 큰 소리로 외쳤다.

"릴리펏의 위대한 국왕 폐하, 만세!"

국왕은 나를 보자마자 덥석 안았다. 물론 그가 안은 것은 내 얼굴의 한 부분, 코뿐이었지만 말이다. 국왕은 릴리펏에서 가장 영예로운 칭호인 '나르다크'를 나에게 내려

우왕좌왕(右往左往) : 이리저리 오락가락하며 일이나 나아갈 방향을 결정짓지 못하고 망설임.

하지만 이 일 이후 국왕과 걸리버의 의견은 달랐어. 릴리펏의 국왕은 블레퍼스큐를 자신이 직접 통치하고 싶어했거든. 하지만 걸리버는 그러한 행동이 가져올 많은 문제점을 이야기하며 국왕을 말렸지.

왕들이란, 다 똑같지 않니?

주었다. 국왕뿐 아니라 많은 관리들이 내 대담한 모험에 입을 다물지 못했다.

이 모험으로 블레퍼스큐에서 평화 사절단을 보내 왔다. 그들은 릴리펏의 국왕에게 예의를 표한 후 말했다.

"블레퍼스큐는 릴리펏과의 긴 전쟁을 끝내고 평화 조약平和條約을 맺고자 합니다."

릴리펏은 유리한 조건으로 블레퍼스큐와 평화 조약을 맺었다. 블레퍼스큐의 사절단은 무엇보다도 나를 만나고 싶어했다. 그들은 대부분 내 용기와 관대함을 칭찬했다.

이로써 나는 릴리펏에서는 '나르다크'라는 칭호를 받을 만큼 충성스러운 사람이 되었다. 또 블레퍼스큐

평화 조약(平和條約) : 서로 싸우던 나라끼리 전쟁을 중단하고 평화를 회복하기 위하여 맺는 조약.

사람들은 나를 '용감무쌍한 사람'으로 부르며 자신들의
나라를 꼭 한 번 방문해 달라고 신신당부했다.

얼마 뒤 또 한 번 내가 힘을 발휘할 기회가 찾아왔다.
그 날 밤, 나는 수백 명이 지르는 아우성에 잠에서 깼다.
멀리서도 그들이 '버글럼'이라고 외치는 소리를 또렷하
게 들을 수 있었다. 곧 궁전에서 시종이 왔다.

"어서 궁전으로 와 주세요."

"대체 무슨 일이죠?"

"왕비님의 침실寢室이 불타고 있어요!"

나는 급히 궁전으로 달려갔다. 혹시라도 누가
밟히지 않을까 조심하면서. 다행히 달이 밝아
서 한 사람도 밟지 않고 궁전까지 무사히 도착
할 수 있었다.

사람들이 왕비의 침실에 사다리를 세워 놓고 물통
에 물을 담아다 퍼붓고 있었다. 골무만 한 물통으로 불

'버글럼'이
무슨 말인지 알 것 같다!
'불이야'가 아닐까?

침실(寢室) : 잠을 잘 수 있게 마련된 방.

을 끄는 것은 어림없어 보였다. 작은 사
람들은 내게 서둘러 물을 날라 주었지만
별로 도움이 되지 않았다.

'외투가 있었다면 그것으로 불을 끌 수 있었
을 텐데.'

잠결에 허겁지겁 오느라 외투를 챙기지 못했다.
그 순간 좋은 생각이 떠올랐다. 오줌을 누는 것이
었다. 불은 나의 오줌으로 3분 만에 완전히 꺼졌다. 여왕
의 훌륭한 궁전은 내 오줌 줄기에 의해 큰 화재를 피할 수
있었다.

나는 국왕의 칭찬도 기다리지 않고 곧바로 집으로
돌아갔다. 왕비와 궁궐을 구하긴 했지만 불을
끈 방법이 조금 민망했기 때문이다.

릴리펏에서는 지위가 높든 낮든, 어떤 상황
에서도 궁전 부근에서 오줌을 누면 사형에 처했다.
그 때문에 국왕은 내 죄를 용서해 달라고 대법원에
요청을 해야 했다.

왕비의 목숨을 구하기 위해
부끄러움을 무릅쓰고
오줌을 눠서 불을 끈 게 잘못이라니?

물에 빠진 놈
살려 놓으니
보따리 달라는
꼴이구먼.

하지만 왕비만은 내가 오줌으로 불을 끈 것을 끝까지 용서하지 않았다. 그 일로 왕비는 맞은편의 궁전으로 이사를 했고 오줌에 젖은 궁전은 불에 탄 채 비워 놓았다. 왕비는 가까운 친구들에게 이렇게 말했다고 전해진다.

"산 같은 사람이 우리에게 이런 무례를 범하다니, 용서할 수 없어."

반역죄라고?

릴리펏에 머물러 있는 동안, 나는 이 작은 나라를 세심하게 관찰했다. 사람뿐 아니라 동물과 나무, 바다와 꽃에 이르기까지 모든 것이 내가 살던 세상을 일정한 비례로 줄여 놓은 것처럼 작았다.

나는 종종 요리사料理師가 초파리만큼이나 작은 종달새로 요리를 하는 모습이나, 어린 소녀가 내 눈에는 보이지 않는 아주 작은 바늘에 실을 꿰어 바느질하는 것을 구경

요리사(料理師) : 음식을 전문으로 조리하는 사람.

하곤 했다. 릴리펏의 나머지 풍경에 관해서는 여러분의
상상에 맡기겠다.

릴리펏 사람들은 글을 쓰는 방식도 아주 독특했다. 그
들은 유럽 사람처럼 왼쪽에서 오른쪽으로 쓰거나, 중국
사람처럼 위에서 아래로 쓰지 않았다. 그들은 종이의 한
쪽 모서리에서 다른 한쪽 모서리를 향해 비스듬히 써내려
갔다.

좀 더 독특한 관습(慣習)도 있다. 죽은 사람
을 묻을 때, 머리가 땅 속을 향하도록
하여 묻었는데, 이는 그들의 지구에
대한 믿음과 관계가 있었다. 릴리펏
사람들은 2천 개월이 지나면 죽은 사
람들이 모두 부활한다고 믿었다. 그리고
그 때는 지구가 홀딱 뒤집힐 것이기 때문에
사람을 거꾸로 묻어야 한다는 것이다. 그것은 릴리

죽은 사람을
어떻게 땅에 묻는지 살펴봄으로써
한 사회의 세계관이나 우주관을
짐작해 볼 수 있어.
여기서도 릴리펏 사람들의
지구에 대한 생각을
엿볼 수 있지.

관습(慣習) : 사회에서 오랫동안 지켜져 온 일반적으로 인정되고 습관화된 규칙.

요정을 정리하자면
없는 죄를 있다고 이르는 무고죄와
남을 속이는 사기죄,
배은 망덕한 죄가
가장 나쁘다는 거지.

릿 사람들이 지구가 평평하고 납작한 사각형이라고 믿었기 때문이다.

릴리펏은 모든 범죄를 엄격하게 다스렸다. 그들은 억울한 사람이 생기는 것을 막기 위해, 함부로 죄인을 지목하지 못하도록 밀고자에 관한 혹독한 법률을 만들어 놓았다. 그래서 만약 무죄인 사람을 죄인으로 몰았다가 진실이 밝혀지면 목숨은 물론, 재산까지 잃게 되었다.

릴리펏에서는 도둑질보다 사기죄가 더 큰 죄였으며 사기죄는 사형으로 다스렸다. 그것은 정직한 사람이 손해를 보는 것을 막기 위함이라고 했다. 또한 은혜를 베풀어 준 사람에게 악행으로 갚는 것도 사형으로 벌했다.

하지만 이렇게 혹독한 법을 73개월 동안 착실하게 지키면 특별히 마련된 기금基金으로 여유롭게 살 수 있도록 상도 준비되어 있었다.

기금(基金) : 어떤 목적을 위하여 적립하거나 준비하여 두는 자금.

유럽의 지식인들도 상과 벌이 사회를 지탱하는 중요한 요소라고 늘 떠들어 댔다. 하지만 릴리펏만큼 그것을 정확하게 지키는 나라를 본 적이 없었다.

이제부터 나는 릴리펏에서 보낸 9개월하고 13일 동안 어떻게 살았는지를 이야기하려고 한다.

나는 국왕의 숲에서 자라는 커다란 나무를 잘라서 식탁과 의자를 만들었다. 내가 입을 수 있는 내의를 만들기 위해서 2백 명의 여자 재봉사가 동원動員되었다. 또 정장을 만들기 위해 릴리펏 사람들은 가장 두껍고 튼튼한 천을 모아 왔지만, 그 천조차 영국의 풀잎보다 더 얇았다. 결국 그들은 자신들에게는 지나치게 두껍지만, 나에게는 터무니없이 얇은 천을 여러 겹으로 포개어 누벼서 옷감을 만들었다.

재봉사들이 몸을 측정하는 과정은 놀라웠다. 그들은 내 엄지손가락의 둘레를 잰 후 그것으로 목과 가슴의 둘레를

동원(動員) : 어떤 일이나 행사를 위하여 한꺼번에 군중을 끌어 내는 일.

알아 냈다. 엄지손가락 둘레의 곱이 손목의 둘레라는 계산법으로 그들은 목과 가슴의 둘레를 예측했다.

재단사들 역시 재치 있는 방법으로 내 몸을 재었다. 내가 꿇어앉으면 그들은 땅에서부터 내 목에 이르기까지 사다리를 세웠다. 한 사람이 사다리 위로 올라와 나의 옷에 있는 깃에서부터 바닥까지 추를 던졌다. 그렇게 해서 계산된 것이 내가 입을 정장 윗옷의 기장이었다. 옷은 늘 몸에 꼭 맞았다.

식사 준비도 보통 어려운 일이 아니었다. 집 주변에는 작은 오두막들이 모여 있었고, 그곳에 300명의 요리사가 살았다. 그들은 날마다 각각 두 접시의 요리를 만들어 나에게 가져왔다. 식탁 위에는 작은 사람 20명이 올라와 내가 식사하는 것을 도왔다. 한 접시 분량의 고기를 나는 한 입에 먹어치웠다. 한 통의 술도 한 모금이면 바닥이 났다. 내가 소뼈까지 한 입에 털어놓고 우적우적 씹자, 작은 사

걸리버를 입히고 먹이는 일은 보통 일이 아니었겠어. 거의 밑 빠진 독에 물 붓기 수준이겠는걸.

역시
재무 대신 플림냅이 등장하는군.
이런 걸 복선이라고 하지.
앞으로 어떤 일이 벌어질지
살짝 실마리를 주는 거.

람들은 깜짝 놀랐다. 릴리펏의 황소는 영국의 종달새만큼이나 작았기 때문이다.

요리사들과 국왕 그리고 많은 사람들이 내가 잘 먹는 것을 좋아했지만, 모두 다 그런 것은 아니었다. 재무 대신 플림냅은 특히 내 왕성한 식욕을 문제삼았다.

"폐하, 산 같은 사람이 릴리펏에 머무는 동안 벌써 150만 스프러그(작은 사람들의 나라에서 쓰이는 금화의 단위)라는 어마어마한 돈이 들었습니다. 이대로 가다간 국민들이 헐벗을 것입니다. 이런 점을 고려할 때 산 같은 사람을 이제 추방追放해야 합니다."

플림냅은 이처럼 국왕에게 여러 번 어려운 재무 사정을 설명했다. 그러나 국왕은 들은 척도 하지 않았다. 플림냅이 내 일이라면 진저리를 치는 것은 너무나 당연한 일이었다.

추방(追放) : 해가 되는 것을 그 사회에서 몰아냄.

하루는 궁중의 한 관리가 사람들 몰래 가마를 타고 나를 찾아왔다.

"내 이름은 밝히지 않겠습니다. 다만 꼭 해 줄 말이 있어서 왔습니다."

나는 가마꾼을 돌려보내고 그 사람이 탄 가마를 윗옷 주머니에 넣었다. 그리고 사람들이 보지 않을 때 그를 식탁 위에 살며시 내려놓았다. 그는 걱정스럽게 말했다.

"요즘 릴리펏에서는 매일같이 비밀秘密 회의가 열리고 있습니다. 당신이 릴리펏에 도착했을 때부터 볼골람 해군 사령관은 당신을 몹시 싫어했지요. 더구나 블레퍼스큐를 상대로 큰 승리를 거두자, 볼골람은 더욱 약이 올랐답니다. 해군 사령관 볼골람의 명예를 완전히 땅에 떨어뜨렸으니까요. 그는 당신을 싫어하는 다른 사람들과 손을 잡고 슬슬 일을 꾸미고 있어요. 재무 대신 플림냅 같은 사람들 말이지요."

비밀(秘密) : 남에게 보이거나 알려서는 안 되는 일의 내용.

아, 정말 말도 안 돼. 구왕과 신하들이 걸리버를 쫓아 낸다면 무고죄, 사기죄, 배은망덕죄를 짓게 되는 거 아냐?

나는 아주 작은 벌레에게 독침을 맞은 듯이 왼쪽 머리가 지끈거렸다.

"그들은 당신을 반역죄로 몰아, 사형에 처할 생각이었어요. 왕비님이 머무는 궁전에 오줌을 누어 모욕한 일이며, 블레퍼스큐의 사절단과 이야기를 나눈 일, 엄청난 음식을 먹어 치워 나라의 재정을 어렵게 만든 일 등을 이유로 들었지요."

"반역죄, 사형?"

"플림냅과 볼골람은 처음에 당신 집에 불을 지르자고 했어요. 독화살을 쏘거나 음식물에 독을 타자는 말도 있었지요. 그렇지만 폐하께서 사형만은 극구 반대했습니다. 결국 관리들은 당신의 두 눈을 멀게 해서, 릴리펏의 충성스러운 신하로 만들자고 입을 모았지요. 눈이 보이지 않으면 어떤 욕심도, 딴마음도 먹지 못할 테니까요."

"두 눈을 멀게 한다고요?"

나는 아직 멀쩡한 두 눈을 껌벅껌벅 움직여 보았다.

릴리펏 사람들도
어쩔 수 없군.
걸리버의 공을 생각하지 않고,
자신들이 편한 쪽으로만
결정을 내렸잖아.

"사흘 뒤, 당신은 이 사실을 통보받게 됩니다. 하지만 그 때 당신의 눈동자에는 날카로운 화살이 박히겠지요. 이제 당신에게 달렸습니다. 그럼, 나는 이만 돌아가 보겠습니다."

그가 돌아간 후 나는 잠시 멍하니 앉아 있었다. 배신감背信感에 궁전을 짓밟아 버리고 싶은 생각도 들었다. 작은 사람들이 모든 힘을 다 합쳐도 나를 이기지 못할 게 분명했다. 더구나 나는 '나르다크'라는 영예로운 칭호를 받을 만큼 큰 공을 세우지 않았던가.

고민 끝에 나는 비서실장 렐드레살에게 블레퍼스큐 국왕을 만나러 간다는 편지를 남겨 놓고, 블레퍼스큐로 건너갔다.

블레퍼스큐의 국왕과 왕비, 그리고 대신들은 나를 환영했다. 블레퍼스큐의 국왕은 릴리펏에서 어떤 일이 있었는

배신감(背信感) : 믿음을 저버리는 일을 당하고 느끼는 속상한 감정.

갑작스럽게 걸리버가 탈 만한 보트가 나타났다는 건 억지스러워 보인다, 그치? 하지만 18세기 소설엔 이런 우연이 자주 등장해.

지 이미 다 알고 있었다.

"당신이 블레퍼스큐에 있어 준다면, 릴리펏으로부터 당신을 보호해 주겠소. 걸리버, 이곳에 남아 친구가 되어 주시오."

나는 블레퍼스큐 국왕의 제안을 정중하게 거절했다.

"감사합니다만, 이 곳에 남아 릴리펏과 블레퍼스큐의 평화를 깨고 싶지 않습니다. 얼마 전 배를 하나 발견했습니다. 그걸 타고 고향으로 떠나고 싶습니다."

블레퍼스큐의 국왕은 고개를 끄덕였다. 나는 블레퍼스큐에 도착한 지 며칠이 지나지 않아서 해변가에서 우연히 큰 배를 발견했던 것이다.

블레퍼스큐 사람들은 부서진 배를 고치는 일을 도와주었다. 두 개의 돛을 달기 위하여 500명의 사람들이 모였다. 배의 표면에는 물이 새지 않도록 300마리의 소에서 나온 기름을 칠했다. 가장 큰 나무를 몇 그루 잘라서 노와 돛대도 만들었다. 모든 준비를 끝내기까지 꼬박 한 달이

걸렸다.

국왕은 금 200스프르그가 들어 있는 주머니 50개와 100마리의 쇠고기, 300마리의 양고기, 빵과 음료를 선물로 주었다.

나는 블레퍼스큐의 작은 사람들을 데려가고 싶었으나, 블레퍼스큐의 국왕은 허락하지 않았다. 대신에 살아 있는 양 몇 마리를 주머니에 넣고 배에 올랐다.

1701년 9월 24일 아침, 나는 동남풍을 받으며 작은 사람들의 나라, 릴리펏과 블레퍼스큐를 떠났다. 이틀 후, 나는 보트에 탄 채 영국 배의 선원들에게 구조되었다.

덕분에 나는 영국까지 무사히 돌아갈 수 있었다. 다만 한 가지 재난이 있었다면, 배에 있는 쥐들이 내가 주머니에 넣어 두었던 양들을 물고 간 일이다. 살을 말끔히 발라 먹고 남은 뼈는 쥐구멍에서 발견되었다.

2장
큰 사람들의 나라, 브로브딩내그

이번에는 거인들이 사는 나라

집으로 돌아온 지 9개월 만인 1702년 6월 20일, 나는 다운스에서 배를 타고 또다시 영국을 떠났다. 존 니콜러스 선장이 지휘하는 어드벤처 호를 타고 수라트로 향했다. 희망봉을 지나, 마다가스카르 섬 북쪽을 지날 때까지만 해도 항해는 순조로웠다. 그러나 갑자기 몰아친 거센 바람에, 폭풍까지 몰아치자 배는 약 2만 킬로미터쯤 동쪽 어딘가로 떠밀려 완전히 항로를 벗어났다. 노련한 선원들도 우리가 어디에 있는지 알아 내지 못했다. 그러다 우리는 어느 섬에 도착했다.

선원들은 물을 구하기 위해 해변을 살폈고 나는 섬을 천천히 둘러보고 있었다. 그다지 흥미로운 것을 발견하지 못한 나는 배가 있는 곳으로 돌아갔다. 그런데 배가 사라졌다! 배는 벌써 선원들을 태운 채 한참 멀어지고 있었다. 나는 소리를 지르며 그들을 불렀으나 들리지 않는 모양이었다. 바로 그 때 커다란 괴물이 바다로 뛰어들더니 배를 쫓아갔다. 나는 놀라, 괴물의 눈을 피해 경사진 언덕으로 달려가 몸을 숨겼다. 젖 먹던 힘까지 다해 뛰었더니, 머리가 어질어질했다.

그런데 주변의 풀이 이상하리만치 컸다. 족히 6미터는 되었다. 밭에 자라는 곡식도 그 끝을 가늠할 수 없을 정도로 커 보였다.

바다에서 보았던 괴물과 비슷한 다른 괴물이 내게로 가까이 오는 것을 보았다. 다시 보니 괴물이 아니라 엄청난 거인이었다. 큰 사람은 커다란 낫으로 작물을 수확하느라 바빴다. 나는 친구들과 친척들, 아내와 아이들이 말렸음에도 불구하고 다시 배를 탄 것을 후회했다.

그 순간 릴리펏이 떠올랐다. 그 작은 사람들의 나라에서 나는, 힘 있는 존재였다. 바다를 걸어서 건너고 블레퍼스큐의 전함 50척을 맨손으로 끌 만큼 힘이 셌다. 또 궁전의 불도 오줌으로 단번에 끄지 않았던가. 그런데 이번에는 반대였다. 이 섬에서 나는 릴리펏 사람들처럼 작고 무기력無氣力했다. 릴리펏 사람이 영국에 왔다면 꼭 이런 심정이 아니었을까.

완전히
입장이 바뀌었는걸.

허공을 보며, 이런 생각에 잠겨 있는데 머리 위로 농부의 커다란 발이 보였다.

"앗!"

조금만 더 앞으로 발을 디뎠어도 나는 납작하게 깔려 죽었을 것이다. 그가 낫을 낮게 휘둘렀다면 몸이 두 동강이 났을지도 모른다. 농부가 다시 움직이자,

무기력(無氣力) : 일을 감당할 수 있는 정신과 육체의 힘이 없음.

나는 공포에 휩싸여 비명을 질렀다. 농부의 커다란 발이 공중에 우뚝 멈춰 섰다. 농부는 내 허리춤을 조심스럽게 집어 올렸다. 나는 그가 내 허리를 너무 꾹 누르지 않을까 걱정이 되었다. 땅에서 18미터쯤 위에서 발을 버둥거리며 잔뜩 겁에 질린 내 눈이 농부의 눈과 마주쳤다. 나는 두 손 모아 기도를 했다. 그 모습을 가만히 바라보던 농부는, 손바닥 위에 나를 내려놓더니 자세히 살폈다.

조금 안심이 된 나는 정중하게 허리를 굽혀 인사를 하고 말을 걸었다. 농부는 알아듣지 못했다.

농부는 나를 집으로 데리고 갔다. 농부가 아내에게 나를 보여 주자, 여자는 마치 징그러운 벌레라도 본 것처럼 소리를 지르며 물러섰다. 나중에 내가 어느 정도 이성理性을 가지고 있으며 농부의 말을 잘 따르자, 귀여워해 주었다.

정오가 되어 하인이 음식을 가져왔다. 지름이 8미

> 걸리버가 괜한
> 걱정을 하는 것 같아.
> 큰 사람들은 걸리버를
> 귀여워하잖아.

이성(理性) : 사물의 이치를 논리적으로 생각하고 판단하는 마음의 작용.

터나 되는 접시에 커다란 고기 요리가 담겨 나왔다. 농부의 아내는 고기를 조금 잘라서 빵 조각과 함께 내 앞에 놓았다. 나는 식탁 한 끝에 앉아 주머니에 넣어 두었던 칼과 포크로 고기와 빵을 잘라 먹었다. 고기가 너무 두꺼워서 잘 썰리지 않았다.

농부의 아내는 하녀에게 가장 작은 컵을 가져오게 했다. 그러고는 술을 따라 주었다. 이 집에서 가장 작은 컵이 10리터짜리였다. 나는 있는 힘껏 그 컵을 기울여 술을 마시며 외쳤다.

"건강健康을 위하여!"

물론 농부의 가족은 내 말을 알아듣지 못했다. 하지만 내 행동은 그들을 충분히 즐겁게 했다. 그들의 웃음소리가 어찌나 크던지 고막이 터질 것만 같았다.

식사를 하는 내내, 나는 식탁 밑에 있는 황소만 한 고양이 때문에 겁에 질려 있었다. 하지만 정작 고양이는 내게

건강(健康) : 육체가 아무 탈 없이 정상적이고 튼튼함.

별 신경을 쓰지 않았다.

오히려 나를 공격한 것은 쥐였다. 큰 들개만 한 쥐들은 나를 보자, 떼를 지어 한꺼번에 공격해 왔다. 칼을 꺼내 쥐 한 마리의 배를 찔렀다. 다른 쥐들은 그것을 보고 놀라 달아났다.

농부에게는 아홉 살짜리 딸이 있었는데, 바느질을 제법 잘 했다. 소녀는 작은 서랍에 내 잠자리를 만들어, 선반 위에 올려놓았다. 내가 입을 옷도 만들어 주고 빨래도 해 주며 따뜻하게 보살펴 주었다.

소녀는 큰 사람들이 사는 나라 브로브딩내그의 말도 가르쳐 주었다. 내가 어떤 물건을 가리키면, 그것을 큰 사람들의 언어로 말해 주었다. 나는 예전부터 언어를 배우는 데 소질이 있었기 때문에, 금방 큰 사람들의 언어를 익혔다. 소녀는 내게 '그릴드리그'라는 이름을 붙여 주었다. 난쟁이라는 뜻이었다. 나는 소녀를 작은 유모라는 뜻의 '글룸달클리치'라고 불렀다.

'그릴드리그'란 말은, 난쟁이라는 뜻이야. 영어로 manikin이라고 하지. 나눈야 똑똑한 뻔빠리.

농부가 밭에서 스플락넉 같은 동물을 발견했다는 소문이 퍼지기 시작했다. 글룸달클리치가 스플락넉에 대해 설명해 주었다. 스플락넉은 이곳 브로브딩내그에서 사는 동물로 길이가 180센티미터 정도였다.

소문은, 스플락넉만 한 동물이 사람 흉내를 내며 브로브딩내그의 말을 몇 마디 할 줄 안다는 거였다.

농부의 집에 나를 보러 온 사람들 중 누군가가 말했다.

"집에만 두지 말고, 차라리 이리저리 데리고 다니면서 구경을 시키지 그래?"

그는 소문난 구두쇠였다. 돈이 되는 일이라면 어떤 일이라도 할 사람이라고 했다. 그 사람은 눈이 몹시 나빠서 나를 보기 위해 커다란 돋보기를 썼다. 그가 내 위로 얼굴을 들이밀자, 나는 그만 '큭큭' 웃지 않을 수 없었다. 안경 너머 커다란 두 눈이 마치 창 밖에 두 개의 달이 떠 있는 것처럼 보였기 때문이었다. 그 자리에 있었던 사람들은 내가 웃은 이유를 알고 따라 웃었다.

문제는 농부였다. 사람들이 한 마디씩 농담으로 던진

이야기에 마음이 흔들렸던 것이다. 그는 잘 지어 오던 농사를 하인들에게 맡기고 나를 데리고 도시를 다니며, 돈을 벌 궁리를 했다. 어린 글룸달클리치는 농부에게 울면서 사정했다.

"아버지, 그릴드리그는 광대가 아니에요. 그릴드리그가 얼마나 명예를 소중히 생각하는데요? 그리고 아주 똑똑하다고요. 벌써 나오는 말도 나눌 수 있는걸요?"

그러나 글룸달클리치조차 농부를 말릴 수 없었다. 결국 나는 상자에 담겨 여러 도시를 떠돌며 구경거리가 되었다. 서커스단의 동물처럼 하루 종일 영국의 기사(騎士) 흉내를 내거나 브로브딩내그의 말로 연설을 했다.

글룸달클리치가 없었더라면, 걸리버는 어떻게 되었을까? 윽, 생각만 해도 끔찍해.

큰 사람들은 나를 보는 것만으로도 신기해했다. 나는 하루에 몇 번씩이나 같은 행동을 반복하는 것이 몹시 수치스러웠다.

기사(騎士) : 중세 유럽의 무인, 또는 그 계급을 일컫는 말.

농부는 어린아이들의 장난이나 여러 위험에서 나를 보호하기 위해 글룸달클리치를 내 옆에 붙여 놓았다. 그것만이 내가 견딜 수 있는 유일한 이유였다.

농부는 나로 인해 큰 돈을 벌었지만, 내가 완전히 지친 것은 신경 쓰지 않았다. 오직 내가 금방 죽지 않을까만 걱정했다.

그 때 마침, 궁중의 관리가 농부를 찾아왔다. 브로브딩내그의 왕비가 소문을 듣고 나를 보고 싶어한다는 것이다. 나는 왕비 앞에서 무릎을 꿇고 재치才致 있는 행동을 했다. 왕비는 부드러운 표정으로 내게 물었다.

"궁중에서 지내고 싶은 마음이 있나요?"

나는 깍듯하게 인사하며 대답했다.

"할 수만 있다면 왕비님을 위해 일하고 싶습니다."

왕비는 금화 1천 개를 주고 나를 농부에게서 샀다.

"왕비님, 한 가지 부탁이 더 있습니다. 사실 저는 글룸

재치(才致) : 눈치 빠르고 재빠르게 응하는 재주.

달클리치에게서 이 나라의 말과 관습을
배웠습니다. 왕비님께서 허락하신다면,
글룸달클리치와 함께 있고 싶습니다. 제
유모와 교사로서 말입니다."

거인국의 금화 한 개는
포르투갈의 금화 8백 개를
합친 것만큼 거대하대.
상상이 되니?

왕비는 흔쾌히 허락했다. 농부도 자신의 딸이 궁궐에
서 살게 된 것을 기뻐했다. 글룸달클리치도 나와 함께
있게 되어 매우 기뻐했다.

나는 스플락넉과 달라!

왕비는 나를 국왕에게로 데려갔다. 국왕은 나를 얼핏
보더니 이렇게 말했다.

"언제부터 스플락넉을 좋아했었소? 전혀 몰랐는걸."

"그릴드리그는 스플락넉이 아니에요. 그릴드리그, 국
왕 폐하께 직접 말씀을 드려 보겠어요?"

왕비는 내게 직접 설명해 보라고 기회를 주었다.

국왕은 내가 말을 잘 하고, 또 공손하게 대답하는 것을
보고 놀랐지만 스플락넉이 아니라는 사실은 믿지 않았다.

그는 내가 교육을 잘 받은 스플락녁이라고 생각했다.

국왕은 나를 신기하게 여겨, 세 명의 학자를 불러 연구하게 했다. 한 학자가 나를 두루 살펴보고는 대답했다.

"육식 동물이기는 하나, 모든 정황情況을 살펴봤을 때 아무래도 돌연변이가 아닌가 싶습니다."

다른 학자가 말했다.

"아마 이자가, 아, 이름이 그릴드리그라고 했나요? 이 그릴드리그가 먹을 수 있는 건 달팽이나 곤충뿐일 겁니다."

"무슨 소리예요. 난 곤충 따위는 먹지 않아요!"

나는 바로 반박했다. 또다른 학자가 말했다.

"제가 보기엔 엄마 뱃속에서 너무 일찍 세상에 나온 아이인 것 같습니다. 그렇지 않고서야 이렇게 작을 수가?"

그러나 다른 두 학자가 이 의견에 반박했다. 내 얼굴에서 수염을 발견했기 때문이었다. 큰 사람들의 나라에서

정황(情況) : 어떤 일을 에워싼, 그 당시의 환경이나 상태.

잠깐,
아리스토텔레스의 제자들도
자기들이 모르는 일을
'신비한 원인'이라고 말해서
혼이 난 적이 있다더군.
여기에서는
'자연의 장난'이라고 하네?

가장 작은 난쟁이의 키가 9미터였는데, 나는 그와도 비교할 수 없을 정도로 작았다. 나만큼 작은 것을 보지 못했던 학자들은 마침내 이렇게 결론을 내렸다.

"폐하, 저희가 밝혀 낸 바로는 이 생물은 자연의 장난에 의한 것입니다."

학자들의 이야기가 끝나자 나는 국왕 앞으로 나서서 공손하게 말했다. 나만 한 크기의 사람들이 살고 있는 나라가 있고 그 나라에서 왔노라고 말했다. 그리고 크기만 작을 뿐, 생각할 줄 아는 사람들이라는 말도 덧붙였다. 내 이야기를 모두 들은 국왕은 내 말이 사실일지도 모른다고 생각하고 왕비에게 나를 잘 보살필 것을 당부했다.

왕비는 나무로 한 변의 길이가 5미터, 높이가 5미터인 집을 만들어 주었다. 만드는 일은 왕비의 목수가 했다. 그는 침대와 옷장, 책상과 그 외에 필요한 모든 가구를 만들어 주었다. 창문은 물론 문에는 자물쇠까지 달려 있었다.

집 열쇠는 글룸달클리치가 보관했다.

시녀들은 가장 얇고 부드러운 비단으로 옷을 만들어 주었는데, 내게는 굉장히 거칠었다. 그러나 차츰 익숙해졌다. 넓은 도서관에서 책을 읽을 수도 있었다. 왕비의 목수는 내가 책을 읽을 수 있도록 새로운 기계도 만들었다. 읽고 싶은 책을 벽에 기대어 세워 놓고 사다리 꼭대기로 올라가면 책의 맨 윗부분부터 읽을 수 있었다. 그러다가 한 계단씩 밑으로 내려오면서 책의 아랫부분을 읽으면 되는 것이었다. 다른 페이지를 읽을 때면 다시 계단 꼭대기로 올라가 같은 방법으로 내려오면서 읽으면 되었다. 글룸달클리치가 틈틈이 글을 가르쳐 주었기 때문에 가능한 일이었다.

나는 늘 왕비와 글룸달클리치의 보호를 받았다. 왕비는 나와 함께가 아니면 식사를 거를 정도로 나를 좋아했다. 그 때문에 왕비의 사랑을 받던 난쟁이는 나를 질투하고, 호시탐탐 괴롭힐 기회를 엿보았다.

책을 읽으면서 운동도 하고, 일석이조군. 하나를 하면서 두 가지 효과를 본다는 말이지 궁중의 시녀들도 나를 좋아했다. 그들은 나를 작은 인형 대하듯 귀여워했지만, 나는 시녀들을 그다지 좋아하지 않았다.

시녀들의 피부皮膚는 가까이서 볼 때, 거대한 구덩이와 같은 구멍이 여러 개 나 있었다. 그리고 그 구멍에는 거친 노끈보다도 더 굵은 털이 숭숭 솟아 있었다. 그런 풍경을 보자 영국 귀부인들의 피부가 생각났다. 그 피부가 아름답게 보이는 것은, 귀부인들의 크기가 나와 같아서 추한 부분이 드러나지 않기 때문이다.

현미경을 통해 들여다보면 아름답던 것도 추하고 이상하게 보인 경험이 누구나 있을 것이다. 아마 내 피부도 현미경으로 본다면 억세고 거칠게 보일 것이다. 릴리펏에 있는 작은 사람들의 피부가 매우 아름답게 보였던 일이 생각난다. 반대로 작은 사람들에게 내 피부는 아주 소름 끼치는 모습이었을 것이다. 언젠가 작은 사람들 중 친하

피부(皮膚) : 동물의 몸 표피를 싸고 있는 살가죽.

게 지냈던 사람이 한 말이 떠올랐다. 그는 내 첫인상을 이렇게 묘사했다.

"당신의 피부에는 커다란 구멍들이 여러 개 나 있어요. 수염은 산돼지의 털보다도 열 배나 더 거칠죠. 피부 색도 얼룩덜룩하고요. 아, 산 같은 사람! 그렇지만 나는 당신이 정의롭고 착한 사람이라는 걸 알아요."

나는 영국 남자 가운데 그나마 피부가 고운 편에 속했던 터라 조금 억울했다. 그러나 그 때 그들의 심정을 이곳, 큰 사람들의 나라 브로브딩내그에 와서야 이해하게 되었다.

시녀들의 몸에서 나는 체취(體臭)는 말할 것도 없이 몹시 지독했다. 아마도 상대적으로 큰 사람들의 냄새가 강했기 때문일 것이다. 몸에서 풍기는 냄새보다 더 지독한 것은 향수 냄새였다. 향수를 뿌린 시녀가 가까이 왔을 때 나는

현미경으로 각자의 피부를 들여다봐. 아마, 걸리버의 마음을 알 수 있을걸?

체취(體臭) : 몸에서 나는 냄새.

향수 한 방울이
걸리버한테는 향수
한 병일테니
괴롭기는 하겠네.

가끔 기절하곤 했다. 시녀들의 체취에 비한다면, 왕비나 글룸달클리치는 냄새만으로도 내가 신뢰할 만한 사람들이었다. 그들에게서는 언제나 좋은 냄새가 났다.

늘 배려해 주는 그들에게 뭔가 보답하고 싶다는 생각이 들었다. 한번은 왕비의 시녀에게, 왕비가 머리를 빗고 난 후 떨어지는 머리카락을 가져다 달라고 부탁했다. 그리고 목수가 만들어 준 의자에 머리카락을 엮어서 영국식 등나무 의자를 만들었다. 그것은 큰 사람들의 눈에는 아주 정교한 작품으로 보였다. 나는 왕비에게 그 의자를 선물하고, 글룸달클리치에게는 돈주머니를 만들어서 주었다. 왕비와 글룸달클리치는 모두 내 선물에 기뻐했다.

나는 막대기로 왕비에게 '지그' 무곡을 연주해 주거나 왕실의 연못에서 작은 보트를 타고 항해하는 모습을 보여 주었다.

왕비는 무엇이든 내게 풍족하게 주려고 노력했고 이런 모습은 난쟁이에게 미움을 받기에 충분했다. 그러던 중 난쟁이는 마침내 기회를 잡았다. 글룸달클리치가 잠시 자

아무리 대접을 후하게 받는다고 해도 모든 게 좋을 수는 없는 법이군.

리를 비운 틈을 이용하여 난쟁이가 나를 골수骨髓를 뺀 소의 정강이뼈 속에다가 집어 넣었다. 나는 소의 정강이뼈에 허리까지 박힌 모습으로 꼼짝 못하고 있어야만 했다. 몇 분이 지났을까? 글룸달클리치가 나를 발견하고 구해 주었다. 난쟁이는 호되게 매를 맞았다. 그 정도에서 그친 것은 내가 그를 용서해 달라고 말했기 때문이었다. 그러나 그 뒤로도 난쟁이는 나를 괴롭히는 장난을 계속하다가 결국 궁전 밖으로 쫓겨나고 말았다.

난쟁이 말고도 적은 많았다. 큰 사람들의 나라에는 파리가 아주 많았고 그 때문에 여름이 괴로웠다. 파리는 영국의 종달새만큼이나 커서 나는 깜짝깜짝 놀라곤 했다. 그들이 음식물에 앉았다가 일어나면 그 자리에는 파리의 더러운 배설물이나 알이 떨어져 있기도 했다.

어느 맑은 날 아침에는 벌들과 한판 소동을 벌이기도

골수(骨髓) : 뼈 안쪽에 차 있는 노란색 또는 붉은색의 연한 조직.

했다. 글룸달클리치는 내가 들어 있는 상자를 창가에 놓아 두고 나갔고, 나는 사탕을 먹으려던 참이었다. 그 순간 '윙' 하는 소리가 크게 들리면서 벌들이 몰려들었다. 상자의 창문이 활짝 열려 있었던 것이다. 나는 얼마간 메추리만큼 커다란 벌들을 요리조리 피하다가 결국 칼을 빼어 들지 않을 수 없었다. 곧 세 마리의 벌이 바닥에 떨어졌다. 나머지 벌들은 모두 달아났다. 나는 죽은 벌을 조심스럽게 간직하고 있다가 런던으로 돌아왔을 때 몇 군데에서 전시를 했다.

영국은 그런 나라가 아닙니다

국왕은 나를 자신의 얼굴과 수평이 될 정도의 높이에 올려놓고, 나와 이야기 나누는 것을 좋아했다.

국왕은 이해력이 빠르고, 마음이 넓은 사람이었다. 하지만 유럽과 그 밖의 세상에 대해서는 믿지 않으려 했다. 가끔 내 이야기를 듣고 경멸하는 말을 아무렇게나 했다. 나는 영국과 그 외의 유럽에 대해 제대로 알려 주고 싶었다. 나는 용기를 내어서 국왕에게 말했다.

"이성은 몸의 크기와는 상관 없어요!"

국왕은 내 말에 호탕하게 웃으면서 말했다.

"오해 마시오. 다른 세계를 무조건 무시하는 것은 아니오. 좋은 예가 있다면 언제든 수용할 생각이 있으니, 영국에 대해 좀 더 이야기해 보세요."

나는 영국의 위치와 의회議會의 구성, 종교와 종파, 운동이나 오락, 교육에 대한 이야기를 했다. 그 밖에도 영국의 위상을 높일 수 있는 일이라면 빼놓지 않고 말했다. 국왕은 모든 이야기를 세심하게 기록하면서 들었다.

그리고 여섯 번째 대화를 마쳤을 때, 그는 이제까지 적은 것을 들여다보면서 질문했다.

"영국의 귀족 젊은이들은 마음과 몸을 단련하기 위해 어떤 방법을 사용하고 있소?"

의회(議會) : 국민이 뽑은 의원들로 구성되어, 선거민들의 의사를 대표해서 합의하는 기관.

"하원 의원이라고 부르는 사람들을 선출하기 위해서는 어떤 절차가 필요한 거요? 선거가 어떤 방식으로 이루어지는지 궁금하오."

"그릴드리그, 그대가 이야기한 영국의 연간 세금은 오백만 파운드에서 육백만 파운드인데, 세출에 대해 이야기한 액수는 그 이상이오. 이 계산이 정확하다면, 어떻게 하나의 왕국이 사사로운 개인처럼 돈을 탕진할 수 있는지 이해가 되지 않소."

국왕의 질문은 이렇게 구체적이었다.

내가 전쟁에 대해 이야기하자, 그는 이렇게 단정해 버렸다.

"영국 국민들은 싸움을 좋아하거나, 주변 국가들이 나쁘거나, 둘 중 하나인 것 같구려."

국왕은 평화스러운 시절에도 군대가 있다는 말을 듣고 매우 놀랐다. 그로서는, 아니 이 곳 브로브딩내그에서는 도무지 이해할 수 없는 문제였기 때문이다.

내가 영국의 오락과 교육, 그리고 지난 1세기 동안

일어난 모든 일에 대해 이야기하였을 때 국왕은 그 모든 것을 이렇게 요약하였다.

"그릴드리그, 그대는 영국이라는 나라에 대해 아주 상세하게 소개했고, 또 칭찬했소. 그렇지만 내가 느낀 바, 그대의 나라는 음모, 반란, 학살, 살인, 추방 등으로 가득찬 것 같소. 그대의 나라에서는 법을 나쁘게 쓰고 회피하는 일에 많은 관심을 갖고 있는 이들에 의해서 법이 해석되기도 하는 것 같았소. 탐욕과 잔인함, 증오와 욕망만이 가득한 영국 역사는 그다지 매력적이지 않구려. 나는 그대가 오랜 시간 여행을 해 왔기 때문에 그대의 나라가 저지른 악덕에서 자유롭다고 믿고 싶소."

국왕은 나를 위로하려는 듯이 한 마디를 덧붙였다.

"나는 그대의 민족이 밉살스럽고 작은, 그런 벌레들인 것처럼 여겨진다오."

그 말을 들은 다음 날, 나는 국왕에게 화약을 만드는 방법을 안다고 이야기했다.

중국에서 처음 화약이 발명되었지. 이것이 유럽에 전파되었어.

내가 보기에 화약은 쓸 만한 발명품이었기 때문이었다. 물론, 만드는 법을 알고 있었다.

국왕은 내 이야기를 듣고는 매우 혐오스러워했다.

"화약의 비밀을 아느니 차라리 왕국의 반 토막을 잃어버리는 것이 낫겠소. 목숨이 아깝다면 다시는 그런 말을 꺼내지 마시오!"

국왕은 강한 어조로 못을 박았다. 나는 국왕이 자기보다 작은 나라에 대해 지나친 비판을 한다고 생각했다. 물론 나는 내 조국의 악덕에 대해서 변호할 마음은 없었다. 또한 브로브딩내그의 국왕을 깎아 내릴 마음도 없다.

국왕은 내게 말했다.

"그릴드리그, 나는 당신이 비슷한 크기의 여자를 만나서 이 곳에 정착했으면 하오. 당신처럼 작은 사람이 또 있을까 싶지만, 찾아보면 안 될 것도 없지 않겠소? 자식들도 낳고 행복하게 살 수 있다면 말이오."

국왕은 진심으로 말했지만, 나는 그 말이 끔찍하게 들렸다. 그렇게 된다면, 내 자손들은 새장에 갇혀 장난감처

우리나라에서 화약 제조법을 처음 들여온 사람은 최무선 이야!

하기는, 오래 있긴 했어.
누구나 고향을 오래 떠나 있으면
고향이 그리워지는 법이지.
어떤 사람은 그 마음이
너무나 커서
향수병에 걸리기도 한대.

럼 길러질 것이다. 왕과 왕비는 내게 많은 사랑을 베풀었지만, 나를 인간으로 존중해 주지는 않았다. 여느 스플락녁과 다를 바 없었다.

문득 이 곳에서 너무 오래 지냈다는 생각이 들었다. 아내와 아이들이 보고 싶었다. 나와 같은 눈높이에서 이야기할 수 있는 친구들이 그리웠다.

큰 사람들의 나라에 도착한 지 3년째 될 무렵이었다. 나는 글룸달클리치에게 시종과 함께 바닷가를 산책하고 싶다고 말했다. 글룸달클리치는 무슨 예감豫感이 들었던지 눈물을 펑펑 쏟았다.

나는 시종에게 바위 위에 내려 달라고 했다. 그리고 창문을 열고 바다의 공기를 들이마신 후, 잠이 들었다. 시종은 창문을 꼭 닫아 주었다. 바로 그 때, 상자에 달려 있는 고리를 뭔가가 홱 낚아채는 소리가 들렸다. 나는 화들짝

예감(豫感) : 무슨 일이 일어날 것 같다는 것을 사전에 느낌.

놀라 잠에서 깼다. 창문 밖으로 바다가 내려다보였다. 상자는 하늘을 날고 있었다. 위에서 날개를 치는 소리가 들리는 것이, 독수리 따위가 상자를 채 간 모양이었다.

몇 번의 충격이 상자에 가해졌다. 상자를 떨어뜨려 부서뜨릴 모양이었다. 나는 심장이 터질 만큼 공포恐怖를 느꼈다. 다행히 독수리는 상자를 버리고 날아갔다. 상자는 정말 튼튼했다. 또 물에도 젖지 않았다. 상자는 바다 위를 둥둥 떠 갔다. 나는 질식할 것만 같아서 지붕 쪽의 창문을 조금 열어 놓고 밖을 내다봤다.

얼마나 지났을까? 상자가 어디론가 끌려가는 것 같더니, 위로 '덜컹' 올려졌다. 나는 죽어라고 소리쳤다.

"살려 줘요! 살려 줘요!"

잠시 뒤, 대답이 들렸다.

"안에 누가 있습니까? 사람이에요?"

나는 그렇다고 대답했다. 이번에도 영국 배였다. 선장

공포(恐怖) : 장차 고통이나 재앙을 받을 것이라고 생각할 때 일어나는 정서적 반응.

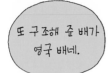

또 구조해 준 배가
영국 배네.

은 말했다.

"망원경으로 당신의 상자를 봤는데, 우리는 처음에 그것이 돛단배라고 생각했소. 마침 비스킷도 떨어지고 해서, 간식이나 좀 얻어 볼까 해서 당신에게 가깝게 다가간 것인데, 배가 아니었지 뭐요? 허허."

나는 독수리가 상자를 낚아채 하늘 높이 날아가던 것을 기억해 냈다. 그래서 그들에게 물었다.

"혹시 독수리를 봤나요? 아니면, 독수리보다 훨씬 커다란 새가 날아가는 것을 못 보셨습니까?"

선장은 고개를 갸웃했다.

"글쎄요. 특별히 커다란 새는 없었는데."

그러자 곁에 있던 선원 한 명이 새를 보았다고 말했다.

"독수리라면, 저 쪽 하늘로 날아가더군요. 그런데 그게 보통 독수리보다 더 큰 것 같지는 않았는데."

나는 브로브딩내그의 큰 사람들에 대해 말했지만, 배의 선원들은 내가 오랜 여행으로 지쳐 헛소리를 하는 것으로 생각해 버렸다.

나는 컵도 접시도 침대도 거울도 모두 조그맣게만 느껴져서 견딜 수가 없었다. 어느 새 큰 사람들의 나라, 브로브딩내그의 생활이 몸에 배었던 모양이다.

큰 사람들의 나라에 있을 때 왕비는 나에게 필요한 물건을 모두 작게 만들어 주었다. 그러나 나는 어쩌면 내 자신이 작다는 사실을 애써 보지 않으려 하지는 않았던가?

선장은 나를 집 근처 항구에 내려 주었다. 집으로 가는 길에는 집과 나무, 가축 그리고 사람들이 있었다. 평소와 변함없는 내 집과 이웃이었으나 이상하게도 내 눈에는 영국의 모든 것이 작게만 느껴졌다. 가끔은 작은 사람들의 나라, 릴리펏으로 되돌아온 것 같은 착각이 들었다.

사람들을 만날 때마다 나는 혹시 내가 그들을 밟아서 죽이게 될까 봐 겁이 났다. 급한 마음에 길을 비키라고 소리를 지르기도 하였다. 이것이 내 불행했던 두 번째 여행의 끝이었다.

이래서 사람에게는 경험이라는 것이 무서워. 걸리버, 한동안 고생하겠는걸.

3장
하늘을 나는 섬의 나라, 라퓨타

라퓨타, 하늘을 나는 섬

집으로 돌아온 지 10일도 지나지 않아서, 호프웰 호의
선장인 윌리엄 로빈슨이 찾아왔다. 그는 두 달
후에 동인도로 떠날 것이며, 나에게 자기 배
의 외과의사로 일할 생각이 없는지 물어왔
다. 결국 1706년 8월 5일, 다시 항해를 떠나
게 되었다. 지금까지 겪은 일을 모두 잊어버린
것은 아니었지만, 새로운 모험에 대한 기대는 언제
나 나를 흔들어 댔다. 물론 아내를 설득하는 일은 어
려웠다. 그러나 아이들에게도 도움이 될 거라는 말에,

아니, 집으로 돌아가고 싶다고
한 지가 며칠이나 되었다고
저러는지 몰라.

결국 아내도 내 여행을 허락하고 말았다.

우리는 동인도 제도를 향해 배를 몰았다. 그러나 이번에는 항해를 시작하자마자 심한 폭풍에 시달려야 했다. 폭풍은 우리의 배를 북동쪽으로, 또다시 동쪽으로 밀었다. 출항을 한 지 10일째 되는 날에는 해적을 만났다. 해적선은 곧 우리 배를 따라잡고, 우리를 포로로 만들었다. 나는 해적 가운데 네덜란드 사람을 보고 지푸라기라도 잡는 심정으로 이렇게 말했다.

"우리는 영국인이에요. 당신은 네덜란드 사람이죠? 같은 기독교인이고 이웃 나라 사람들이니 우리의 처지를 선장에게 잘 좀 말해 주세요."

그러나 내 말에 네덜란드 사람은 몹시 화를 냈다.

일본인 해적 선장이라니. 18세기에 벌써 일본인이 세계에 진출해 있었단 소리?

"잠자코 있지 않으면 당장 바다에 던져 버리겠어!"

그는 화난 어조의 일본말로 해적선의 선장과 이야기를 나눴다. 해적선의 선장은 일본인이었

다. 그는 내게 와서 몇 가지를 물어 보더니,
우리를 죽이지 않겠다는 약속을 했다. 나는
선장에게 공손히 인사를 하고 네덜란드 사람에게 말
했다.

"같은 기독교를 믿는 사람이 아닌 다른 종교에서
구원(救援)을 받다니, 마음이 아프군요."

나는 이 말을 한 것을 곧 후회했다. 네덜란드 사람이 성
난 눈길로 쏘아보았던 것이다. 그는 선장이 한 약속 때문
에 나를 죽이진 않았지만, 더 가혹한 짓을 했다. 다른 사
람들만 해적선에 태우고 나는 작은 배에 태워 바다에 버
린 것이다. 친절한 일본인 선장은 먹을 식량을 주었지만
네덜란드 사람은 배가 내려가는 순간까지 욕을 했다.

그렇게 다시, 혼자가 되었다.

나는 두어 시간 만에 가까운 섬에 도착했다. 식량을 최
대한 아끼면서 밤을 보냈다. 그렇게 조금씩 이동을 한 지

구원(救援) : 위험이나 곤란에 빠져 있는 사람을 구하여 줌.

하늘을 나는 곳이라
나는 이 곳이
제일 마음에 드는걸.

5일째 되는 날, 나는 또다른 섬에 도착했다. 식량도 다 떨어지고 피로로 지쳐 있었다. 보트에서 내려 바위 사이를 걷던 나는 곧 하늘이 갑자기 어두워지고, 뭔가 커다란 물체가 섬 위로 다가오는 것을 느꼈다. 얼른 몸을 숨기고 망원경을 꺼내 물체를 바라보았다. 그 물체는 분명, 하늘에 떠 있었다.

그 물체가 좀 더 가까이 다가왔다. 자세히 보니 섬이었다. 몇몇 섬사람들이 보였다. 제일 먼저 그들의 몸 크기가 나보다 큰가 작은가를 살폈는데, 다행히도 나와 비슷한 체구였다.

나는 낡은 모자와 손수건을 흔들며 구해 달라고 소리쳤다. 섬에서 누군가가 나를 본 것 같았다. 30분 만에, 섬은 내가 있는 언덕 가까이 내려왔다. 누군가가 소리쳤다. 해변으로 오라는 의미 같았다. 해변으로 가자, 그들은 의자가 달린 도르래를 내려서 나를 끌어 올렸다.

섬에 오르자, 그들은 신기하다는 표정으로 나를 살펴보

았다. 나 역시 그토록 진기한 모습과 차림새를 지닌 사람들은 처음 보았다. 그들은 거인도 소인도 아니었다. 다만 균형을 이룬 것이 하나도 없었다. 머리가 모두 왼쪽이나 오른쪽으로 기울어져 있는가 하면, 눈도 하나는 움푹 들어가고 다른 하나는 위로 올라가 있었다.

그들의 옷에는 트럼펫, 기타, 플루트, 바이올린 등의 악기가 수놓여 있었고 해와 달과 별 무늬가 그려져 있었다. 신분이 높아 보이는 사람들 곁에는 바람 주머니를 막대기에 매달아 들고 다니는 시종侍從이 따라다녔다. 시종들의 임무가 무엇인지, 그 바람 주머니가 달린 막대기를 어디에 쓰는지는 잠시 후 알게 되었다.

국왕은 수학 문제를 푸느라 나를 거들떠보지도 않았다. 한 시간쯤 기다리자 문제를 푼 국왕 옆에 서 있던 시종이 바람 주머니가 달린 막대기로 그의 입과 귀를 가볍게 두드렸다. 국왕은 갑자기 잠에서 깬 사람처럼 깜짝 놀랐다.

━━━━━━━━━●

시종(侍從) : 시종신의 준말. 왕을 가까이 모시고 따라다니는 신하.

그제야 나를 쳐다보았다. 국왕이 말을 하자, 어떤 사람이 다가와서 내 오른쪽 귀를 두드렸다. 나는 그런 것이 필요 없다는 몸짓을 했다. 나중에 알게 된 사실이지만, 그 일로 국왕과 궁중의 사람들은 내 학식學識이 형편없다고 생각했다.

무슨 맛일지 궁금하군. 근데 소화는 잘될까?

나는 그들과 함께 식사를 했다. 정삼각형으로 자른 양고기와 마름모꼴로 자른 쇠고기 그리고 동그란 푸딩이 나왔다. 또 날개와 다리를 함께 묶어서 바이올린 모양으로 구워 낸 두 마리의 오리와, 플루트를 닮은 소시지, 그리고 하프 모양으로 만든 쇠고기도 나왔다.

시종들은 빵을 원뿔 모양이나 원기둥, 평행사변형 등 수학적인 도형으로 잘랐다. 식사를 하는 동안 나는 여러 가지 물건의 이름을 물어 보았는데, 그 때마다 궁정의 대신들은 두드리는 시종의 도움을 받은 후 대답해 주었다.

학식(學識) : 학문으로 얻은 식견.

시종이 하는 일은 많은 사람들이 모여 있을 때, 바람 주머니로 말하려는 사람의 입과 듣는 사람의 귀를 두드려 주는 것이었다. 사람들은 언제나 사색思索에 잠겨 있기 때문에 절벽이 나타나면 떨어지고 기둥마다 머리를 부딪히며, 거리에서 다른 사람을 밀치거나 다른 사람들에게 밀리고는 했다. 그것을 방지하기 위해 시종들이 그들의 머리를 가볍게 두드려 사색에서 깨어나도록 도와야 했다.

　　이 나라는 하늘을 자유롭게 날며 움직이는 섬나라였다. 사람들은 이곳을 '라퓨타'라고 불렀다. 섬은 늘 유유히 날아다녔고, 이 아래의 땅들은 라퓨타의 지배를 받았다. 그래서인지 라퓨타 사람들은 늘 천체의 움직임에 관심을 보였다. 그들의 관심은 오직 수학과 천문학 그리고 음악뿐이었다. 그들의 음악은 내게 무척 생소했다.

라퓨타가,
애니메이션
〈천공의 성 라퓨타〉랑
같은 거야?

　　식사를 마치고 재단사가 내 몸 치수를 재기 위해

사색(思索) : 줄거리를 세워 깊이 생각함.

여기서 잠깐!
릴리펏, 브로브딩내그에서 각각
옷을 만드는 방법이 달랐지.
옷 만드는 것만으로도
각 나라의 특색이 보이는 걸.

다가왔다. 재단사는 먼저 긴 자로 키를 쟀다. 나는 그가 당연히 줄자로 내 어깨 며 허리를 잴 것이라고 생각해 팔을 내밀 었다. 그러나 그는 얼굴을 찡그리며 말했다.

"이거면 충분해요."

그는 자와 컴퍼스로 내 몸의 부피와 윤곽을 측정한 후, 알 수 없는 숫자들을 종이에 적었다.

6일 만에, 재단사는 내 옷을 만들어 왔지만 그것은 내 게 맞지 않았다. 계산하는 도중에 숫자가 틀렸기 때문이 었다. 그러나 이 곳에선 이런 일이 빈번하게 일어났다.

나는 금세 이 곳 라퓨타의 말을 익혔다. 내가 알고 있던 수학적 지식이 이 나라의 언어를 배우는 데 큰 도움이 되 었다. 이 나라의 말은 수학과 음악에 많이 의존했다. 그들 의 생각은 대부분 선과 도형에 관한 것이었다. 그들은 아 름다운 여자나 동물을 칭찬할 때도 사다리꼴, 원, 평행사 변형 등 기하학 용어로 표현했다.

나는 국왕의 주방에서 수학 기구와 악기들을 보았다.

요리사들이 국왕의 식탁에 올리는 고기는 그 도구의 모양을 본떠서 잘랐다. 그러나 이들이 매사에 정확한가 하면, 전혀 그렇지 않았다. 이 나라 사람들은 수학과 음악을 제외한 다른 문제에는 서툴고 느렸다. 그들은 언제나 비합리적이었다. 상상력이나 발명과 같은 단어는 이 나라의 사전에 실리지 않았다.

"오늘 아침 태양이 좀 진한 것 같지 않아요? 어쩌려고 저럴까요? 태양이 닳아 버리려고 그러나."

그들의 아침 인사는 언제나 이런 식이었다. 태양이 지거나 뜰 때의 모습이 어떠했으며, 다가오는 혜성과의 충돌을 피할 수 있을까를 고민하는 것이 그들의 주된 대화였다. 그들은 언제나 불안해했다. 태양이 계속 접근하고 있어서, 언젠가 태양이 지구를 삼켜 버릴 거라며 걱정했다. 불타는 태양에 점차 노폐물이 쌓여 빛을 발하지 못하면 어쩌냐는 걱정도 했다.

한 달 만에 나는 이 나라의 말을 아주 유창하게 했

수학에 비하면 과학은 별로 발달하지 않았는걸.

다. 그러나 국왕 앞에서 내 언어 실력을 보여 줄 기회는 그다지 많지 않았다. 국왕은 늘 수학과 음악에 대한 이야기만 묻고 답했기 때문이다. 그 분야에 큰 흥미가 없었던 나는 무시를 당하곤 했다.

곧 라퓨타의 언어를 대부분 익혔지만, 이 나라에 싫증이 났다. 이처럼 재미 없는 사람들은 어디에도 없을 것 같았다. 나는 이 나라에 있는 동안 친해진 대신에게 떠날 수 있도록 허락해 달라고 부탁했다. 그는 국왕에게 내가 떠날 수 있도록 허락을 받아 주었다. 친절하게도 섬 밑의 영토인 래가도에 사는 친척에게 소개장까지 써 주었다.

2월 16일, 궁중의 사람들과 헤어졌다. 국왕은 내게 선물도 주었다. 나는 섬의 가장 아래쪽 복도에서 도르래를 타고 래가도로 내려갔다. 다시 땅을 밟으니 한결 기분이 좋았다. 섬은 나를 땅에 내려놓고 천천히 날아갔다.

소개장에 있는 집을 찾아가니 '무노디'라는 이름의 남자가 나를 반겨 주었다. 그는 내게 좋은 친구가 되어 주었고, 우리는 많은 이야기를 나누었다.

다음 날 나는 그와 마차를 타고 래가도의 거리를 구경
했다. 래가도의 사람들은 아주 빨리 걸었다. 그들은 무척
난폭해 보였으며, 옷차림은 대부분 누더기였다. 나는 용
기를 내어서 무노디 영주에게 물어 보았다.

"거리와 들판에 있는 사람들이 무엇 때문에 저렇게 바
쁘게 일하는 거죠? 일해서 얻은 결과는 어디에도 없는데
말이에요. 땅은 모두 황폐荒廢하고 옷차림은 모두 누더기
인데."

무노디 영주는 대신들의 음모로 해직을 당했으나, 수년
간 래가도의 총독을 지낸 인물이었다. 그는 집으로 돌아
온 뒤 답을 해 주었다.

"내일 3킬로미터 떨어진 영지로 가 봅시다. 그 곳에서
당신의 질문에 대한 답을 해 주리다."

다음 날 우리는 마차를 타고 무노디 영주의 땅으로 향
했다. 그는 출발하기 전, 이렇게 말했다.

황폐(荒廢) : 내버려 두어 거칠고 못 쓰게 됨.

무노디 영주가 무슨 이야기를 할지 정말 궁금하다. 얼른 말해 줘요!

"농부들이 일하는 것을 자세히 살펴보세요."

나는 눈을 크게 뜨고, 모든 풍경風景을 머릿속에 담을 생각이었다. 그러나 한참을 더 달리고 나서야 아름다운 농촌이 나타났다. 깨끗하게 지은 집과 포도밭, 아름다운 들판이 보였다. 내 표정이 밝아지는 것을 보고 무노디 영주가 말했다.

"여기부터가 내 땅입니다."

"참 아름다운 땅이군요. 왜 어제 그 동네는 이 곳과 달리 황폐한 거지요?"

내 질문에 무노디 영주는 한숨을 푹 내쉬었다.

"어쩌면 이 곳도 곧 사라질지 모릅니다. 지금 나를 따르는 사람들을 보십시오. 모두 늙고 병든 사람들뿐입니다."

"왜 그렇죠?"

나는 의아한 표정으로 물었다. 무노디 영주는 40년 전 라퓨타에 다녀온 사람들이 있었다고 말했다. 그들은 몇

풍경(風景) : 자연의 아름다운 모습.

개월간 라퓨타에서 수학과 음악을 배운 후 돌아왔다. 그 후 그들은 래가도에 아카데미를 설립해서 이 곳을 지적인 도시로 만들겠다고 했다는 것이다. 국민들은 그들을 굳게 믿었고, 아카데미가 우후죽순雨後竹筍으로 생겨났다. 사람들은 1주일 만에 궁전을 짓는 법이나 원하는 계절에 과일이 열리는 작물 재배법을 연구하느라 바빴다. 그러는 동안 땅은 황폐해졌고 식량과 옷은 떨어졌다. 그럼에도 아카데미는 오히려 더 늘어났다. 무노디 영주는 여기까지 이야기하다가 말을 멈췄다. 그러더니, 내일 그 곳으로 가 보라고 했다.

"직접 보는 것이 더 이해가 빠르겠지요?"

엄청난 지식의 아카데미

나는 여러 날 동안 아카데미를 방문했다. 그 동안 들른 방만 5백 개는 될 것이다. 처음으로 만난 연구자는 무척

우후죽순(雨後竹筍) : 비온 뒤에 솟는 죽순같이 어떠한 일이 한때에 많이 일어남.

마른 사람이었다. 손과 얼굴이 거무스름한 그는 내가 들어온 줄도 몰랐다. 무슨 연구를 하느냐고 묻자 그제야 고개를 들고 대답했다.

"오이에서 태양 광선을 추출해 내는 중이오."

그는 8년째, 이 실험을 하고 있다고 했다. 태양 광선을 유리병에 넣어서 밀봉해 두었다가 기후가 좋지 않은 계절에 열어서 공기를 덥힌다는 것이었다. 그는 자랑스러운 목소리로 말했다.

"8년만 더 있으면, 래가도 총독의 정원에 상당한 양의 태양 광선을 공급할 수 있을 것이오. 그런데 지금 오이가 얼마 남아 있지를 않으니, 이거 원!"

그는 나를 보더니 애원하는 목소리로 말했다.

"내 연구를 격려하는 의미에서 기부를 하겠소?"

나는 약간의 돈을 그에게 주었다. 무노디 영주가 이런 경우에 쓰라고 미리 돈을 주었던 것이다.

다음 방은 지독한 냄새가 코를 마구 찔러 댔기 때문에 바로 뛰쳐나오고 싶었다. 안내인은 나를 앞으로

오이에서
태양 광선을
추출한다고?
창의적인걸.

밀며 아주 중대한 일이라는 듯이 말했다.

"지금 그냥 나가는 건 무례한 짓이에요. 그냥
참고 연구실을 돌아 보세요."

지독한 냄새는 내 피부를 뚫고 심장 속까지 파고들었
다. 그 방의 연구자는 이 아카데미에서 가장 오랫동안
연구한 사람으로, 몸이 온통 오물로 더럽혀져 있었다.
안내인이 나를 소개하자, 그는 나를 와락 껴안았다. 정
말 울고 싶었다.

그는 인간의 대변을 다시 원래의 음식으로 되돌리는 일
을 연구하고 있었다. 그는 1주일마다 배설물이 가득 담
긴, 커다란 통을 공급받았다.

옆방에는 지붕부터 집을 짓는 건축법을 연구 중인 건축
가도 있었다. 그 중에는 나를 완전히 매혹시킨 계획도 있
었다. 방의 벽과 천정이 모두 거미줄로 뒤덮인 방이었는
데, 내가 들어서자 연구자는 재빨리 소리쳤다.

"거미줄을 건드리지 마세요!"

그는 누에가 아니라 거미에서 실을 뽑아 비단을 짜는

방법을 연구하고 있었다.

"거미들은 누에처럼 실을 뽑기도 하지만, 누에와 달리 천을 짤 줄도 알죠!"

그는 확신에 찬 목소리로 설명했다.

"거미를 쓰면 비단을 염색하는 비용도 줄일 수가 있어요. 이것만 있으면 충분하죠."

그는 아주 아름다운 색깔의 파리를 보여 주었다. 그것은 거미들의 먹이었다. 색깔이 있는 파리를 먹이로 먹은 거미는 색색이 아름다운 실을 뽑고 짤 수 있다는 것이 그의 주장이었다. 정말 그럴듯했다. 그는 내가 고개를 끄덕이며 호응을 보이자 좀 더 들뜬 어조로 설명했다.

하긴 거미줄의 강도가 보통이 아니란 소리 들었지만.

"거미줄에 견고堅固한 힘을 부여할 수도 있어요. 고무나 기름 같은 물질을 파리에게 먹이면! 하지만 파리가 먹지 않으면 소용이 없으니, 고무나 기름 같

견고(堅固) : 굳세고 단단함.

이 접착성이 있으면서도 파리가 좋아하는 물질이어야 되겠죠. 그것도 고민 중이랍니다."

여러 방을 돌아다니자 배가 살살 아파 왔다. 나는 안내인에게 배가 아프다고 말했다. 안내인은 나를 어느 방으로 안내하였는데 그 곳에는 배가 아픈 것을 잘 고치기로 유명한 의사가 있었다.

"배가 아프다고요? 우선, 이 길다란 주둥이를 항문에 집어 넣고 바람을 빼는 방법은 어떠세요? 그렇게 하면 내장을 메마른 오줌통처럼 홀쭉하게 할 수 있어요. 병이 더 심할 경우에는 이 방법이 좋아요. 이걸 항문에 집어 넣고 환자의 몸에 바람을 넣는 것이지요. 이렇게 서너 번 반복하면, 뱃속에 찬 바람이 펌프 물처럼 뿜어진답니다. 펌프 아시죠? 펌프처럼 마구 솟아오르면서 나쁜 물질을 몸 밖으로 내보내지요. 자, 그럼 제가 증명해 보지요. 이 개에게 두 가지 실험을 해 보겠습니다. 우선, 개의 항문에 주둥이를 넣고 바람을 뺍니다."

어린이 여러분은 절대 따라 하지 마세요.

첫 번째 실험에서는 아무런 효과도 나타나지 않았다. 그는 두 번째 실험을 시도했다.

"이제, 바람을 넣습니다. 자, 이렇게, 펌프처럼! 아아, 좋아요. 아주 잘 되고 있어요."

그런데 실험 도중 개가 죽어 버렸다. 그는 당황한 얼굴로 다른 방법으로 그 개를 살려 보려고 했다. 우리는 얼른 그 방을 빠져 나왔다. 너무 놀란 나머지, 배가 아프다는 것도 잊어버렸다.

수학을 가르치는 학교도 있었다. 그 곳의 교수들은 유럽 사람들이 상상도 못할 방법으로 지식을 가르치고 있었다.

그들은 특수 잉크를 사용해 여러 명제와 증명을 얇은 과자 위에 썼다. 수업 시간이 되면 학생들은 그 과자를 먹어서 배를 채웠다. 그 후 3일이 지날 동안 학생은 빵과 물 이외에는 아무것도 입에 대지 않아야 했다. 소화가 되는 정도에 따라 잉크로 쓴 명제와 증명들이

이런 약이 발명된다면 꾹 참고 먹겠다는 학생이 있을지도 몰라. 하지만 사용 전에 부작용은 없는지 확인해야지. 약은 약사와 상의하라는 말도 있는데.

뼈에 녹아들어, 머리에 쏙쏙 들어간다는 것이다.

그러나 아직까지 이 방법은 성공을 거두지 못했다. 그 이유를 교수들은 학생들이 참을성이 없기 때문이라고 말했다. 이 방법으로 공부를 하면, 구역질이 좀 나는데 잉크가 몸 속에서 흡수되는 반응이다. 그런데 참을성 없는 학생들이 모두 토해 버린다는 것이다. 또 처방전에 따라 며칠을 굶거나 빵과 우유만으로 배를 채워야 하는데 그걸 견디는 학생도 없다고 했다.

정치를 연구하는 학교에도 가 보았다. 그 곳에서는 아주 재미있는 의사를 만날 수 있었다. 그는 국왕의 대신들은 모두 기억력이 짧고 무엇이든 금방 잊어버리는 병에 걸려 있다고 말했다. 그래서 총리 대신을 만나는 사람들에게는 늘 이렇게 충고했다.

"이야기는 아주 간단하고 쉽게 하세요. 그리고 나올 때는 그 대신의 코를 비틀거나 배를 힘껏 걸어차서 감정이 상하도록 만들어야 합니다. 그래야만 당신의 이야기를 기억할 테니까요."

과연, 이 러한 방법이 효과가 있을까? 공부는 노력 없이는 안 된다고.

그는 정당에서 대신들이 싸울 때 이를 해결하는 방법에 대해서도 연구 중이라고 말했다.

"정당마다 각각 백 명의 지도자를 뽑는 겁니다. 머리 크기가 비슷한 사람끼리 짝을 지어 놓고 훌륭한 외과의사 두 명에게 지도자들의 머리를 톱으로 자르도록 시킵니다. 뇌가 절반으로 잘리면, 잘라 낸 머리를 반대편 정당의 사람에게 붙이면 됩니다. 매우 정확해야 하는 일이지만, 제대로 된다면 정당 간의 싸움은 더 이상 벌어지지 않을 거예요. 서로 다른 생각을 하는 두 개의 뇌가 하나의 두개골 속에서 논쟁한다면 결국 서로를 잘 이해하게 될 테니까요."

흑흑,
너무 끔찍한 실험이야.
이 수술 이야기만 꺼내도
효과가 있겠는걸.

싸움을 하고 있는 교수들도 있었다. 그들은 세금을 어떻게 하면 가장 효과적으로 거둘 수 있을지에 대한 논쟁을 벌이고 있었다.

"가장 정당한 방법은 사악하거나 어리석은 행위에 세금을 붙이는 겁니다."

"그렇게 되면 누구도 세금을 내려고 하지 않을 겁니다.

정치란 게
늘 골치가 아프거든.
아이고, 머리야!

그보다는 자신에게 가장 중요한 가치나 매력에 대해서 세금을 내게 만들어야 합니다."

교수들의 논쟁은 끝이 없었다. 나는 이 곳에 계속 머무르고 싶지가 않아서 얼른 밖으로 나왔다. 머리가 지끈지끈했다.

유령의 섬, 글러브더브드리브

영국으로 돌아가기 위해서는 러그나그를 거쳐야 한다. 나에게 호의를 베풀어 주었으며, 떠날 때도 많은 선물을 준 무노디 영주와 작별을 하고 러그나그로 가는 배를 기다렸다.

러그나그는 일본 남동쪽으로
약 483킬로미터 떨어진
곳에 있대. 일본의 왕과
러그나그의 왕 사이에는 굳은
동맹이 맺어져 있어서
선박 왕래가 많았다나.

그런데 러그나그로 가는 배는 한 달은 기다려야 한다고 했다. 옆에 있던 사람이 내게 그 배를 기다리는 동안 여행을 하는 것이 어떻겠냐고 제안했다. 근처에 글러브더브드리브 라고 불리는 섬이 있다는 것이었다. 그는 자신의 친구와 함께 여행을 하면 돛단배도 마련해 주겠다고 했다.

글러브더브드리브는 '마술사의 섬'이다. 그 섬의 총독은 마술을 부릴 줄 아는데, 이상한 시종을 부리고 있다고 했다. 그는 죽은 자들 가운데 마음에 드는 자를 불러 내 하룻동안 자신의 시중을 들게 만들었다. 하루 이상은 안 되며, 3개월 이내에 같은 사람을 연속으로 부를 수도 없었다.

우리는 글러브더브드리브에 오전 11시에 도착했다. 총독(總督)은 우리를 만나겠다고 했다. 우리 셋은 구식 제복을 입고 있는 두 줄의 호위대 사이를 지나 성으로 들어섰다. 그들의 얼굴은 말로 할 수 없이 괴기스러웠다. 이상한 얼굴의 시종들도 두 줄로 서 있었다.

총독은 여러 언어를 알고 있었기 때문에, 우리는 통역 없이 대화할 수 있었다. 그는 내 여행에 흥미를 가지고 이

총독(總督) : 식민지나 자치령 등에서 정치와 군사 등 모든 통치권을 감독하고 관할하는 관직, 또는 그 사람.

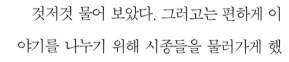

죽은 사람이 대답을 해 준다고? 그럼 난 잘못 알고 있는 역사를 바로잡아 줄 거야.

것저것 물어 보았다. 그러고는 편하게 이야기를 나누기 위해 시종들을 물러가게 했다. 그가 손가락을 움직이자 놀랍게도 주위에서 있던 사람들이 즉시 사라졌다. 우리는 깜짝 놀랐다. 조금 무섭기도 했다. 총독은 부드러운 표정으로 말했다.

"해치지 않아요. 안심하시오."

총독은 저녁을 먹으며 나의 모험담을 열심히 들었다. 그리고 우리에게 궁전에서 자고 가라고 권했다. 그러나 우리 셋 중 누구도 이 공포스러운 곳에서 자고 싶어하지 않았다.

우리는 궁전을 나와 다음 날 아침에 다시 찾아갔다. 총독은 우리를 반갑게 맞아 주었고 우리는 이 섬에서 10일이나 더 머물렀다. 하루의 대부분을 총독과 함께 보내고 밤에는 궁전 밖으로 나와 쉬었다.

그건 걸리버도 생각했다고!

그 동안, 나는 유령을 보는 것에 익숙해졌다. 세 번째 총독의 궁전을 방문했을 때는 유령을 보고도

아벨라 전투는
기원전 331년
알렉산더 대왕이
페르시아 군에 맞서 가우가멜라
평원에서 벌인 전투지.

아무 감정이 생기지 않았다. 두려움이 아주 없었던 것은 아니지만 그보다는 호기심이 생겼다.

내가 좀 익숙해지자, 총독이 말했다.

"죽은 사람 가운데 아무나 불러 보시오. 부른 사람은 당신의 질문에 대해 무엇이든 대답할 것이오. 단, 죽은 사람이 살았던 시대 안에서 가능한 대답만."

나는 아벨라 전투를 끝낸 다음 군대의 선봉에 서 있는 알렉산더 대왕을 만나겠다고 대답했다. 총독이 손가락을 움직이자 넓은 정원에 알렉산더 대왕과 그의 군대가 나타났다. 나는 짧은 그리스 어로 알렉산더 대왕과 몇 마디 대화를 나누었다. 그는 독살되지 않았으며 다만 술을 너무 많이 먹어서 열병으로 죽었다고 말했다.

나는 한니발과 카이사르, 브루투스도 만났다. 지혜와 학문으로 유명한 사람들도 불러 냈다. 호머와 아리스토텔레스, 그리고 이 두 사람의 추종자와 연구자들이 함께 나타났다. 호머가 아리스토텔레스보다 좀 더 잘생겼고 꿋꿋

하게 걸어다녔다. 아리스토텔레스는 야위고 생기가 없어 보였다. 나는 호머와 아리스토텔레스에게 물었다.

"당신의 추종자追從者들이 저렇게 많은 걸 알고 있었나요?"

그러자 이름을 밝히지 않는 유령 하나가 나에게 와서 이렇게 속삭였다.

"그렇게 물으면 호머와 아리스토텔레스가 버럭 화를 낼 거요. 추종자라는 저자들은 지하에서 언제나 호머나 아리스토텔레스와 멀리 떨어져 지내거든요. 이 두 사람의 지식을 왜곡해서 세상에 전했기 때문에 그런 거죠."

호머는 추종자들을 가리키며 이렇게 말했다.

"이들은 시인의 정신을 이해하기에는 머리가 무척 나쁜 자들이오."

아리스토텔레스는 화를 내며 말했다.

"당신도 이들처럼 바보요? 난 이만 돌아가겠소!"

추종자(追從者) : 다른 사람을 좇아 그를 따르는 이들을 일컬음.

고대의 학자와 이야기하면서 5일을 보낸 나는 마지막으로 유럽의 여러 국왕과 그들의 조상을 불러 달라고 부탁했다. 하지만 그 결과는 아주 비통했다. 전혀 예상하지 못한 결과에 나도 친구들도 총독도 놀랐다.

왕관을 쓰고 있는 행렬 대신 깡패 두 명, 말쑥한 아첨꾼 세 명, 성직자 한 명을 보았기 때문이었다. 또다른 가문에서는 이발사 한 명, 수도원장 한 명, 그리고 두 명의 추기경이 있었다. 나는 그들을 보면서 현대사에 대해 메스꺼움을 느꼈다.

나는 그들과 이야기하면서 어떻게 역사가 뒤바뀌었는지를 알게 되었다. 어느 장군은 겁쟁이었는데, 잘못된 지휘로 우연히 승리를 거두었다고 고백했다. 자신의 함대를 고스란히 적에게 내어 줄 뻔했으나 적이 그 정보를 입수入手하지 못해 승리하게 되었다는 것이다.

정말 뛰어난 업적을 남기고 훌륭하게 살았던 사람들의

입수(入手) : 손에 넣거나 손에 들어옴.

이름은 역사에 기록되지도 않았다. 대부분 권력자들이 자기 멋대로 역사를 조작했던 것이다. 머리가 아파진 나는 영국의 농민 몇 사람을 불러 달라고 부탁했다. 그들은 순수하고 소박한 마음을 가지고 나타났다. 그것을 보고서야 겨우 마음이 놓였다.

떠나는 날, 나는 글러브더브드리브의 총독에게 작별 인사를 했다. 두 친구는 내가 러그나그로 가는 배를 무사히 탈 수 있게 도와 주었다. 배는 러그나그를 향해 출발했다.

영원히 죽지 않는 삶, 스트럴드블럭

러그나그의 사람들은 공손하고 관대해서, 나는 많은 친구를 사귈 수 있었다. 어느 날 한 친구가 내게 말했다.

"자네, 영원히 죽지 않는 사람인 스트럴드블럭을 본 적이 있나?"

나는 얼른 이해가 가지 않았다. 사람은 언젠가는 반드

시 죽기 마련인데 영원히 죽지 않는 사람이라니. 잘 이해가 되지 않았다. 그는 아주 드문 경우라며 이야기를 들려주었다.

"붉고 둥근 점이 왼쪽 눈썹 바로 위에 있는 아이가 태어나지. 물론 아주 가끔 있는 일이야. 그 점이 죽지 않는 표시인데, 성장成長하는 동안 점의 색깔이 계속 변하네. 열두 살이 되면 초록색이 되고 스물다섯 살이 되면 짙은 푸른색으로 변하지. 마흔다섯 살이 지나면 석탄처럼 까맣게 되고, 크기도 좀 더 커지지. 죽지 않는 사람, 스트럴드블럭이 태어나는 일은 아주 드물지. 러그나그에 살고 있는 사람 중에 스트럴드블럭은 한 천백 명쯤 될 거야."

"부모님이 다 스트럴드블럭이면, 태어나는 아이도 눈썹 위에 붉은 점이 있겠군."

나는 그것이 유전이 아닐까 싶어 이렇게 물었다. 친구는 고개를 가로저었다.

성장(成長) : 생물이 자라남.

"그렇지 않아. 스트럴드블럭은 유전이 아니야."

나는 호기심이 생겨 되물었다.

"그럼 대체 어떻게 해야 스트럴드블럭이 되지?"

그의 대답은 아주 간단했다.

"우연의 결과야."

스트럴드블럭에 대한 이야기는 아주 흥미로웠다. 그는 스트럴드블럭은 죽음의 공포에서 해방되기 때문에 불안 하지도 않고 행복해한다고 덧붙였다. 나는 잠시 러그나 그에 머물면서 여생을 보내고 싶은 생각이 들었다. 스트럴드블럭들과 만나 이야 기를 나누고 싶었던 것이다. 그러나 내 가 이렇게 말하자, 그는 잠시 침묵한 후 이렇게 물었다.

"만일 자네가 스트럴드블럭이라면, 어떻 게 살아갈 생각이지?"

나는 잠시 즐거운 고민에 빠졌다. 영원한 삶 이 계속된다면 무엇이든 할 수 있을 테니까 말

〈트리겐의 생물〉이라는 소설이 있는데, 거기서도 이런 이야기가 나와. 그 생물을 마시면 영원히 죽지 않아. 그런데 슬픈 사실은, 자신이 사랑했던 모든 사람들이 죽어 가는 걸 봐야 한다는 거야.

이다. 잠시 후 이렇게 대답했다.

무노디 영주의 래가도가 바로 발니바비다.

"글쎄. 우선 온 힘을 다해서 부자가 되겠지. 한 2백 년쯤이면 러그나그에서 제일 가는 부자 가 될 수 있지 않겠나? 그 다음에는 예술과 과학을 연구하겠네. 그러고는 관습, 언어, 유행, 오락에 대 한 모든 변화를 정확하게 기록해 볼까 싶네. 세상이 발전하는 것을 지켜보는 즐거움도 누릴 수 있겠지."

내 말을 듣고 친구는 한참 웃더니, 이렇게 말했다.

"내가 일본이나 발니바비에서 머물 때, 그 곳 사람들이 얼마나 영원한 삶을 살고 싶어하는지 보았네. 부자든 거 지든, 명예로운 사람이든 그렇지 않은 사람이든 간에 누 구나 다 죽음으로부터 도망치고 싶어하더군."

그는 이야기를 계속했다.

"그렇지만 이 곳 러그나그에서는 누구도 영원한 삶을 원하지 않아. 영원히 죽지 않는 스트럴드블럭이 어떻게 살아가는지 잘 아니까. 그들에 대해서 이야기를 더 자세 하게 해 줄까? 그들은 서른 살까지는 여느 사람과 다름

없어. 그렇지만 그 뒤엔 점차 기력이 약해지지. 조금씩 늙는 거야. 그들은 예순 살이 넘으면서는 끝없는 삶에 절망감을 느낀다네. 젊은 사람들의 열정과 활력을 질투하지. 장례식은 어떻고? 죽어서 영원한 안식처로 떠나는 사람들을 몹시 부러워하게 돼. 여든 살이 되면 사회에서도 죽은 사람 취급을 하지. 아흔 살이 넘으면 머리카락과 이가 빠지고, 온갖 병에 걸려. 친한 친구나 가족의 이름도 모두 잊어버린다네. 이백 살쯤 되면 어떤 일에도 흥미를 못 느낀다네."

그는 삶의 비밀을 누설하는 듯한 표정으로 말했다.

아아아, 끔찍해!
노화는 누구도
피해 갈 수 없군.
하루하루 최선을 다하는 것이
행복하게 사는 지름길!

"자네가 말한 꿈들은 모두 젊음이나 어느 정도의 건강과 의지가 있을 때 가능한 일이야. 그렇지만 스트럴드블럭들은 그렇지 않아. 죽지 않을 뿐, 노화를 피할 수 없지. 그래서 이 곳에서는 스트럴드블럭이 태어나면 불길한 징후로 간주한다네. 모든 사람들의 미움을 받으니까.

그들은 나이가 들면 들수록 살아 있는 송장 같은 모습으로 지내지."

　그 이야기를 들으면서 영원한 생명에 대한 소망이 덧없다는 생각이 들었다. 러그나그의 법률이 허락했다면, 어떤 대가를 치르더라도 스트럴드블럭 두 명을 영국으로 보냈을 것이다. 그들이 영국 사회에 있게 된다면, 사람들은 더 이상 죽음을 안타깝게 생각하지 않을 테니까.

　러그나그와 일본을 거쳐 다시 영국으로 돌아왔다. 일본에서 영국으로 돌아오기 위해서는 네덜란드 인들의 배를 타야 했는데, 그 배를 타는 동안 나는 굉장히 조심했다. 혹여나 또 바다에 혼자 버려질까 두려웠기 때문이다. 1710년 4월 20일, 드디어 3년 8개월 만에 고국으로 돌아올 수 있었다. 나는 곧장 집으로 향했다. 건강한 모습의 가족들을 만날 수 있었다.

4장
말들의 나라, 휴이넘 여행

이름 모를 땅

나는 런던에 돌아온 이후, 다섯 달 동안은 가족과 아주 행복한 시간을 보냈다. 그러나 어드벤처 호의 선장 자리를 제안받자, 바로 승락해 버리고 말았다. 1710년 9월 7일, 어드벤처 호는 포츠머스 항구를 출발했다.

9월 16일부터 몹시 바람이 거세어졌다. 몇 사람의 선원이 일사병으로 죽었기 때문에, 발바더즈와 리워드 군도에서 새로운 선원을 모집했다. 그것은 큰 실수였다. 내가 모집한 선원들 대부분이 해적이었던 것이다. 해적들은 배에 오르자, 곧 선실로 달려들어와 나를 잡아 가두었다. 한 순

간에 선장에서 포로捕虜가 된 나는 이 배가

어디로 가고 있는지도 모른 채 갇혀 있었다.

해가 바뀌어 1711년 5월 9일, 그들은 나를 이름 모

를 바닷가에 내려놓았다. 새 옷과 속옷 한 묶음을 주

며 육지로 내보냈다. 나는 필사적으로 물었다.

"여기가 어디죠?"

그러나 그들은 자신들도 모른다고 했다. 선장이 물건을

판 다음, 처음 보이는 육지에 나를 내려놓으라고 시켰다

는 것이다. 나는 또 혼자가 되었다. 이번엔 누구든 만나면

가지고 있는 보석을 모두 주고 목숨을 구할 생각이었다.

끝없이 펼쳐진 들판을 걷는 동안, 나는 몇 마리의 괴상

한 짐승을 보았다. 그들은 낫 같은 손톱을 가지고 두 발로

걸었다. 그들을 살펴보고 있자니 기분이 불쾌했다. 여행

하면서 만난 짐승 중에 최악이었다. 그런데 그 중 한 마리

가 내게 다가와 앞발을 쳐들었다. 놀라 칼등으로 그 짐승

포로(捕虜) : 전투에서 적에게 붙잡힌 사람.

을 내리쳤다. 그 짐승은 몹시 아파하더니 뒤로 물러나 울부짖었다. 그러자 한 무리가 몰려왔다. 나는 나무에 등을 기대고 칼로 겁을 주었다. 그들은 앞발로 배설물排泄物을 집어던지고 기분 나쁘게 울부짖으며 나를 점차 에워쌌다. 그런데, 갑자기 그들이 도망쳤다. 왼쪽에서 말 한 마리가 오고 있는 것을 보고 그러는 것 같았다. 그 추한 짐승들은 분명 말을 두려워했다.

말은 침착한 표정으로 나를 쳐다보았다. 말에게도 표정이 있다는 것을 새삼 깨달았다. 나는 말의 갈기를 쓰다듬으려고 했으나, 말은 머리를 흔들고 눈을 찡그리면서 내 손을 피했다.

다른 말 한 마리가 다가왔다. 말 사이에도 서열이 있는지, 다가온 갈색 말은 회색 말을 깍듯하게 대했다. 그들은 천천히 걸었다. 어쨌거나 나는 이 말들을 따라 걸었다.

그들은 자주 울음소리를 번갈아 냈는데, 그것은 마치

배설물(排泄物) : 생물체가 몸 안에 생긴 노폐물을 몸 밖으로 내보낸 물질.

동물들에게도 그들만의 언어가 있을까? 물론! 체계적이진 않지만, 서로 의사소통을 할 정도의 간단한 언어가 있다나.

이야기를 하고 있는 것처럼 보였다. 회색 말은 내 손과 얼굴, 그리고 모자를 뚫어져라 쳐다보았고 갈색 말은 코트의 깃을 만졌다. 그들은 내 구두와 양말을 보고 알 수 없다는 듯한 표정을 지었다. 말들의 행동은 질서가 있었고 침착했다. 나는 혹시나 하는 마음으로 이렇게 말했다.

"난 어쩌다 이 바닷가에 오게 된 불쌍한 영국인이란다. 내가 쉴 수 있는 곳으로 데려다 주면, 팔찌와 이 칼을 선물로 줄게."

두 마리의 말은 번갈아 울음소리를 냈다. 그 울음소리에서 어렴풋이 '야후'라는 소리가 여러 번 반복되는 것이 들렸다. 나는 그 소리를 흉내내 보았다.

"야후?"

강아지 말을 번역해 주는 기계도 있으니 말이야.

말들은 깜짝 놀랐다. 회색 말은 같은 단어를 두 번 더 반복했다. 나는 그들의 말을 따라 다시 한 번 소리냈다.

"야후!"

갈색 말은 다른 단어를 여러 번 반복해서 말했다. 나는
그 말도 따라해 보았다.

"휴이넘."

그러자 두 말은 몹시 놀라며 또 무슨 이야긴가를 한참
이나 나누는 듯했다.

4킬로미터 정도를 걷자 긴 건물이 나타났
다. 회색 말은 그 문[門]을 열고 나를 들여보냈
다. 바닥에는 부드러운 진흙이 깔려 있었고, 여
물통이 있었다.

세 마리의 망아지와 두 마리의 암말이 땅에 엉덩이
를 붙이고 앉아 있었다. 다른 말들도 건물 안에서 이
런저런 일을 하고 있었다. 회색 말이 긴 울음소리를
내자 곧 다른 말들이 울음소리를 내며 답했다.

나는 이 집의 주인이 누구인지 궁금해졌다. 말들을

말들의 지능은 매우 높아.
훈련을 하고 나서
1년이 지난 후에도
그것을 기억할 수 있대.

문(門) : 드나들거나 여닫도록 된 시설.

이렇게 잘 교육시킬 정도면 대단한 사람이라는 생각이 들었다.

회색 말은 나를 세 번째 방으로 인도했다. 분명 주인이 있을 거라고 생각한 나는 외투 속에 진주 팔찌와 거울, 목걸이 등을 챙겼다. 선물로 줄 참이었다. 그러나 세 번째 방에는 멋진 암말이 짚으로 만든 방석方席 위에 앉아 있을 뿐이었다. 그 옆에는 망아지들이 놀고 있었다. 암말은 나를 지긋이 바라보았다. 곧 표정이 굳어졌다. 회색 말과 암말의 울음소리에서 또 '야후'라는 말이 들렸다.

잠시 후 갈색 말이 끔찍하고 냄새나는 짐승을 데리고 방으로 들어왔다. 내게 배설물을 집어던지며 공격하던 그 추한 짐승이었다. 바로 이 짐승이 '야후'인 걸 어렴풋이 알 수 있었다. 야후와 나는 나란히 섰다. 회색 말과 갈색 말은 나와 야후를 놓고 같은 부분이 어디고 다른 부분이 어디인지를 살피는 눈치였다.

방석(方席): 앉을 때 밑에 까는 둥글거나 모난, 작은 깔개.

나 역시 야후를 제대로 볼 수 있었는데, 인간과 비슷했다. 우리가 서로 다른 부분은 야후의 등과 손바닥, 발바닥에 난 털뿐이었다.

회색 말과 갈색 말은 내가 입고 있던 옷과 구두 때문에 고민하는 눈치였다. 그들은 그것이 입고 벗는 것인 줄을 모르고 내 몸이 원래 그렇게 생긴 줄로만 알았다.

회색 말은 야후를 내보낸 뒤, 내게 무엇을 먹여야 할지 고민했다. 나는 암소를 가리켰다. 그 젖을 먹겠다는 뜻이었는데, 회색 말은 말뜻을 알아듣고 우유가 가득한 방으로 데려갔다. 그 곳에서 신선한 우유를 마시자, 배도 부르고 기운도 났다.

나중에 알고 보니 이 섬에는 나 같은 사람은 없었다. 아니, 있기는 하지만 그들은 '야후'라고 불렸고 짐승이나 마찬가지였다. 섬은 말들이 차지하고 있었다. 그리고 대단하다고 생각했던 집 주인은 바로 회색 말이었다.

나는 회색 말의 집에서 지냈다. 회색 말은 나를 야

갑자기 궁금하네.
손을 쓰지 못하는
말들이
어떻게 집을 지은 거지?

후와 비슷하지만 이성을 지닌 존재로 생각했
다. 그것은 내가 놀라운 속도로 그들의 말을
배웠기 때문이었다.

앞으로
미운 짓을 하는 친구를
'야후'라고 불러야지.

야후는 모두가 싫어하는 짐승이었다. 그들은 이기
적이고 위선적이며 탐욕스러웠다. 내가 보기에도 야
후의 울부짖음이나 냄새는 고약했다. 야후들은 같은
종족끼리도 서로를 미워했다.

그와 달리 휴이넘으로 불리는 말들은 이성이 있었다.
하루하루 휴이넘과 함께 하는 시간이 많아지면서, 나도
자연스레 그들을 믿고 따르게 되었다. 그리고 회색 말을
주인으로 불렀다.

나는 아침 일찍 일어나 옷을 입고 잠들기 전에 이불 속
에서만 옷을 벗었기 때문에 누구도 내가 옷을 벗을 수 있
다는 사실을 알지 못했다. 회색 말도 옷과 신발이 몸에 붙
어 있는 일부라고 생각했다. 그러나 비밀은 오래가지 않
았다.

어느 날 내가 옷을 벗은 채 잠이 들어 있는 것을 좀 더

사실 사람들 몸이
털로 덮여 있다면
옷은 만들어지지
않았을지도 몰라.

일찍 일어난 갈색 말이 목격한 것이었다. 갈색 말은 놀라서 주인에게 이를 고했다. 내가 옷을 입고 인사를 드리기 위해서 찾아가자 주인은 내게 근엄하게 물었다.

"갈색 말의 이야기가 사실인가?"

그 때까지 나는 야후들과 나를 구분하는 것이 좋겠다고 생각했다. 이런 이유로 옷을 벗고 입을 수 있다는 사실을 숨겨 왔지만 더 이상 숨기는 것이 불가능했다. 나는 정신을 바짝 차리고 이야기했다.

"사실 제가 살던 나라의 사람들은 옷을 입고 생활합니다. 덥거나 추운 공기로부터 몸을 보호할 수도 있고 상대방에 대한 예의禮儀의 표시로 통하기도 하니까요."

주인은 왜 자연이 준 몸을 숨겨야 하는지 이해하지 못했다. 내가 신발까지 옷을 모두 벗자, 주인은 완전한 야후의 몸이라고 말했다. 그 말을 듣자 몹시 불쾌했다.

예의(禮儀) : 사회 생활과 사람과의 관계에서 공손하고 삼가는 말과 몸가짐.

말들이 지배하는 나라가 믿기지 않는 것처럼, 걸리버의 이야기를 들은 회색 말도 똑같은 기분이었을 거야.

"저를 야후로 부르지 말아 주십시오. 당신의 가족처럼 대해 주셨으면 합니다. 그리고 아무에게도 제 옷의 비밀에 대해 말하지 말아 주세요."

주인은 고개를 끄덕였다. 그는 옷이 몸과 분리될 수 있다는 사실에 놀랐지만, 그보다는 내가 생각을 할 줄 안다는 점에 더 관심을 가졌다. 그는 내게 자신들의 말을 완벽히 배우라고 했다.

주인은 하루에도 몇 시간씩 나를 가르쳤다. 주인이 바쁠 때는 갈색 말이나 다른 말들이 내게 그들의 말을 가르쳐 주었다. 그러는 사이 조금씩 주인과 이야기를 나눌 수 있게 되었다. 주인은 내가 살던 나라에 대해 묻고는 했다. 영국과 그 밖의 세계에 대한 이야기를 좋아하였다. 나는 매일 몇 시간씩 유럽 여러 나라의 문화文化와 관습에 대해서 이야기했다.

문화(文化) : 인간 사회가 이룩하여 구성원이 함께 누리는 가치 있는 삶의 양식.

"내가 살고 있는 나라에서는 야후들이 사회를 지배하고 있습니다."

어느 날 내가 이렇게 말하자 주인은 깜짝 놀랐다.

"물론 이 곳의 야후들처럼 행동하지는 않습니다. 이성에 따라서 행동하니까요."

나는 내가 태어난 나라 영국과 내 직업, 가족 그리고 사회와 문화에 대해 두서 없이 이야기했다. 그리고 마지막에는 선원들로 위장한 해적이 나를 버렸다는 것까지. 주인은 깜짝 놀랐다.

"같은 동족同族끼리 어떻게 그럴 수가 있단 말인가?"

그 질문에 제대로 답을 하고 싶었지만, 휴이넘의 언어에는 필요한 단어들이 없었다. 그들의 말에는 탐욕이나 배신, 악함에 관련된 말이 없었던 것이다. 거짓말이라는 단어도 없었다. 다만 그들은 자

말이 없다는 건,
그 말을 쓸
필요가 없다는 뜻이죠.
새로운 말이 생기는 건,
그 말을 쓸 일이 생겼기
때문인 거고요.

동족(同族) : 같은 겨레붙이.

식이 게으르게 행동하거나, 날씨가 좋지 않을 때, 혹은 하인이 어리석을 때 '야후 같은'이라고 말했다. 그 말이 이들에게는 몹시 기분 나쁜 유일한 말이었던 것이다. 자만심이나 허영이라는 말도 없었다. 친구가 배반하거나 누군가에게 아첨하거나 적을 두려워하는 일도 없었다. 나는 주인에게 그 상황을 설명하기 위해 애를 먹었다.

휴이넘의 나라

나는 조금씩 휴이넘을 존경하게 되었다. 그리고 새로운 눈으로 세상을 바라보게 되었다. 휴이넘 앞에서 인간의 체면을 지키는 것은 불가능했다. 나도 모르는 사이에 진리의 수호자가 되어 갔다.

작은 사람들의 나라에도 그들만의 관습이 있었고 큰 사람들의 나라에도 그들만의 관습이 있었다. 하늘을 나는 섬 라퓨타나 발니바비, 러그나그, 글러브더브드리브 등의 나라에도 각각 독특한 생활 방식이 있었다. 그렇지만 이 세상 어느 나라에서도, 심

'야후 같은'을 번역하면 이런 말이네. 이런 짐승 같은 놈!

지어는 내 조국인 영국에서도 휴이넘의 나라만큼 현명한
관습을 보지 못했다. 휴이넘들은 철저히 이성적으로 행동
했다.

이 곳에서 3년을 보내는 동안, 나는 소박하고 편안한 생
활을 즐겼다. '누우노오'라는 동물의 가죽으로 옷을 만들
어 입고 나무 조각으로 구두의 밑창을 댔다. 가죽이 많이
해졌을 때는 햇빛에 말린 야후의 가죽을 쓰기도 했다.

나는 때때로 나를 휴이넘에 버린 해적들이 고마웠다.
그들이 아니었다면 나는 저 세속에서 야후처럼 살았을 것
이다. 그것이 '야후 같은' 행동인 줄도 모르면서 말이다.

지난 항해 때 갔던 라퓨타에서는, 보이지 않는 지식에
매달려 현실을 잊고 사는 사람들이 있었다. 그러나 이 곳
에서는 보이지 않는 지식을 얻기 위해 전전긍긍戰戰兢兢하
는 일은 없다.

휴이넘들은 확실히 알 수 있을 때만 대답한다. 잘 모르

전전긍긍(戰戰兢兢) : 매우 두려워하며 조심함.

는 부분을 모호한 말로 비껴 가는 법이 없었다.

우정과 사랑이 휴이넘의 기본적인 미덕이다. 하지만 자식을 맹목적으로 사랑하지 않는다. 이성으로 가르치고 이웃의 자식도 자신의 자식처럼 대한다. 모든 휴이넘이 한 가족인 셈이다.

결혼한 휴이넘들은 서로 신뢰하며 살아간다. 말싸움이나 불만, 질투나 맹목적인 사랑은 존재하지 않는다. 그들은 수놈과 암놈을 하나씩 낳는다. 암놈만 둘이 있거나 수놈만 둘이 있는 집에서는 다른 집과 성별이 다르게 서로 바꾸기도 한다. 주인은 언젠가 내가 영국의 자녀 교육법에 대해 이야기했을 때 이해하지 못하고 이렇게 물었다.

"왜 남자와 여자를 구별하고 서로 다른 교육을 시키는 거지?"

휴이넘들에게는 수놈이나 암놈이나 모두 용기와 지혜

맹목(盲目) : 사리 분별에 어두움, 또는 그런 안목.

를 배우도록 가르쳤다. 그러니 영국의 자녀 교육법이 낯설게 느껴졌을 것이다. 영국에서는 귀족 소녀가 달리기를 하거나 들판을 뛰어다니는 일이 거의 없다. 그러나 휴이넘의 암놈들은 늘 활력이 넘쳤다.

휴이넘들은 일흔 살이나 일흔다섯 살까지 산다. 대부분 건강하게 살다가, 죽기 몇 주일 전 몸에 힘이 점차 빠지는 것을 느낀다. 죽을 때가 되면 가까운 휴이넘들을 방문한다. 그들은 먼 곳으로 여행을 가는 것처럼 작별을 한다. 또한 친구나 친척이 죽어도 슬퍼하지 않는다. 심지어 자신의 남편이 죽거나, 자식이 사고로 먼저 죽더라도 울지 않는다. 곧 다른 세계에서 다시 만나게 될 것이라고 믿기 때문이다.

주인과 나의 계속된 대화는 유럽의 전쟁과 혁명 이야기까지 이어졌다. 주인은 내게 이렇게 물었다.

"왜 서로 전쟁을 벌이는 거지?"

"수없이 많은 이유가 있지만, 가장 중요한 것은 욕망 때문입니다. 인간은, 한 나라의 국왕이더라도 결코 자기가 통치하는 땅이나 사람으로 만족하지 못합니다."

"단순히 욕심 때문에 싸운다는 말인가?"

"이런 경우도 있습니다. 두 국왕이 전혀 다른 나라의
영토를 빼앗기 위해 힘을 합쳐 전쟁을 벌이기도 하지요."

주인은 고개를 절레절레 저으면서 다시 물었다.

"전쟁戰爭이 나면 다른 나라를 돕기도 하는가?"

"돕기도 하지만, 도우러 왔던 국왕이 침략자를 몰아 낸
뒤에는 그 영토를 다시 빼앗기도 해요."

주인은 전쟁에 대해 자세히 물었다. 나는 연기와 소음
과 혼란과 포성에 대해서 이야기했다.

"산산조각 난 시체가 구름을 뚫고 떨어지는 것을 본 적
도 있는걸요."

내가 좀 더 길게 설명하려고 하자, 주인은 이제 그만 멈
춰 달라고 말했다. 그로서는 처음 경험해 보는 악한 이야
기였던 것이다.

요정 정리!
전쟁이 일어나는 이유는
인간의 욕망 때문이다!

전쟁(戰爭) : 국가 또는 단체 사이에 서로 무력을 써서 하는 싸움.

주인은 법에도 관심이 많았다. 그는 사람을 구하기 위해 만든 법이, 사람을 해치기도 한다는 것을 놀라워 했다. 법이나 변호사에 대해서는 나 역시 좋은 감정이 없었으므로 신랄하게 비판했다.

"변호사들은 자신들만 알아들을 수 있는 언어를 씁니다. 일부러 진실과 거짓을 혼란스럽게 만들기 위해서 복잡한 단어를 쓰는 것이지요. 그들은 여섯 대에 걸친 조상의 땅이 내 것인지 아니면 4백 미터 떨어진 곳에 사는 낯선 사람의 것인지를 결정하는데 30년이나 걸리지만, 국가에 대한 반역 죄인을 재판할 때는 아주 짧게 끝내지요. 재판관은 권력자의 마음을 살펴본 다음, 그에 따라 행동합니다. 권력자의 뜻에 따라 교수형을 내리거나 아니면 살려 주지요."

주인은 고개를 끄덕였다. 그는 변호사라는 직업에 대해서 이렇게 결론을 내렸다.

"지식이나 지혜로 볼 때는 충분히 다른 사람들의 지도자가 될 만한 자질이 있지만, 행동이 그에 미치지 못하는

맞아. 법이 완벽하진 않지. 그래도 이런 말이 있잖아. '악법도 법이다.'

것 같군."

나도 판사나 변호사가 이성을 악용하는 사람들이라고 맞장구를 쳤다.

주인은 화폐의 가치에 대해서도 물었다. 그리고 부자와 가난한 사람이 생기는 것에 대해서도 의아해했다. 휴이넘들의 세계에서는 누가 더 많이 가지고 누가 더 적게 가지는 일이 없었다. 그러나 유럽에서는 부자 한 명을 위해 가난한 사람 천 명이 일한다.

내가 국가와 귀족과 일반 백성들에 대해 이야기하자 주인은 내가 틀림없이 귀족일 거라고 확신했다. 그가 보기에 나는 꽤 잘생기고 멋진 야후라는 것이었다. 나는 슬픈 얼굴로 대답했다.

부자와 가난한 사람이 없다니, 유토피아가 따로 없군.

"전 그냥 평민입니다. 귀족은 생각하시는 것과 달라요. 아주 병약하고 여위었으며, 누렇게 뜬 피부색이 귀족의 혈통을 나타내 주는 표시랍니다."

주인은 어느 날 아침 일찍 나를 불러서 이렇

게 말했다.

"자네의 이야기를 들어 보니, 자네 민족은 약간의 이성을 부여받은 동물이라는 생각이 드네. 그러나 이성을 좋은 일에 사용하지 않는 모양이야. 오히려 새로운 잘못을 만드는 데 사용하지. 그것은 자연이 준 아름다운 마음이 아니지 않은가. 나는 이제야 야후들이 왜 서로 싸우는지 알게 되었네. 미안한 말이지만, 자네 종족의 모습에서 그 답을 찾았지. 다섯 마리의 야후에게 50마리가 먹고도 남을 음식을 주어도 그들은 심하게 싸운다네. 이 나라의 들판에는 빛나는 돌이 널려 있는데, 야후들은 그 돌을 미친 듯이 좋아해. 도무지 그 점이 우리 휘이넘으로서는 이해되지 않았지. 아무 쓸모도 없는 돌이었으니까. 그러나 이제야 알았네. 그것은 탐욕貪慾 때문이었어!"

주인은 언젠가 시험삼아 한 야후가 땅 속에 숨겨 놓

탐욕은 무엇 때문에 생기는거지? 그걸 알게 되면 모든 일이 다 잘 풀릴 텐데.

───────────

탐욕(貪慾) : 탐내는 욕심.

은 돌을 옮겨 놓아 보았다고 했다. 그러자 그
야후는 그 날부터 울부짖으면서, 먹지도 않
고 자지도 않았으며 일도 하지 않았다. 주인이
그 빛나는 돌을 원래의 위치에 갖다 놓자, 그것을
보고 야후는 다시 기운을 내었다. 그 야후는 돌을
다른 곳에 감춘 후에야 일을 시작했다.

주인은 조금 슬픈 목소리로 말했다.

"그래서 빛나는 돌이 많은 들판에서는 야후들의 싸움
이 아주 잦다네."

나는 이 말을 들으면서 주인이 차라리 영국의 부도덕한
부분들에 대해서도 강하게 비난해 주기를 기다렸다. 그러
나 그것은 힘든 일이었다. 주인에게는 비난의 재능이 없
었던 것이다. 휴이넘에게는 악이 없었으므로.

다시 야후의 세계로

어느 날 큰 집회가 열렸다. 주인은 이 지역의 대표자로
서 참석했다. 이 집회에서 벌이는 논쟁은 해마다 똑같았

야후랑, 사람이랑 어딘지 많이 닮았네.

다. 야후들을 이 나라에서 없애야 할 것인가, 그냥 내버려 둘 것인가에 대한 것이었다.

회의가 시작되자 휴이넘 하나가 말을 꺼냈다.

"야후는 더럽습니다. 지독한 냄새가 나는 것은 물론이요, 반항적인 기질도 갖고 있습니다. 지난번에 우리가 기르던 고양이 한 마리를 야후가 먹어치웠던 것을 기억하십니까? 귀리밭과 풀밭도 짓밟혔지요."

다른 휴이넘이 동의했다.

"옳소! 예전에 이 나라에 야후들이 없었을 때는 아주 행복하고 평화로웠지요. 적어도 지금처럼 휴이넘들이 야후 때문에 골머리를 앓는 일은 없었습니다. 야만스러운 야후들 한 쌍이 산 위에 나타나서 기하급수적으로 번식하자, 이 나라가 시끄러워졌습니다."

다른 휴이넘이 말을 이었다.

"뿐만이 아니죠. 야후에게 신경을 쓰느라 나귀를 소홀하게 기르는 휴이넘들이 늘어났어요. 나귀는 야후들보다 덜 민첩하지만 훨씬 잘생겼고 순종적이죠. 울음소리는 그다지 좋지 않지만, 야후들의 울부짖음보다는 낫죠."

내 주인인 회색 말이 말을 받았다.

"자, 잠시 진정하시고 제 말을 좀 들어 보세요. 처음에 발견된 그 두 마리의 야후는 아마도 동료들에게 버림받아 이 섬에 버려진 것 같습니다. 그들은 산 속으로 들어갔고, 점차 퇴화된 것이지요. 야후에게도 이성이 아주 없지는 않았다는 말입니다. 그 근거로 나와 함께 있는 이 멋진 야후를 보십시오."

그 야후는 바로 나였다. 주인은 내가 휴이넘의 언어를 완전히 습득習得했고 이성을 지니고 있다고 말했다.

그 뒤로 휴이넘들이 가끔 나를 찾아왔다. 주인이 다른 휴이넘을 방문할 때 함께 가기도 했다. 이제 나는 그들의 대화에 참여할 수 있을 만큼 말을 잘했다. 그들과의 대화는 언제나 즐거웠다. 누군가를 비꼬거

토론을 하거나 대화를 나눌 때, 상대방 감정을 상하지 않게 하는 건 정말 중요해!

습득(習得) : 배워 터득함. 익혀서 얻음.

좋아하고 존경하는 사람이 있다면, 그의 말투와 몸짓까지 닮고 싶은 법이야.

나 욕하거나 감정을 상하게 하는 일은 어디에도 없었다. 서로 존중하며 마음 편하게 대화를 나누었다. 그들은 중간중간 침묵함으로써 다음 대화를 더 신중하고 활기차게 이끌었다.

주인의 권유로 나는 영국의 역사나 문화를 이야기하고는 했다. 그러면 휴이넘들은 그것에 대해 토론을 벌였다.

휴이넘은 다른 야후와 나를 구별해서 대해 주었다. 내게는 이성이 있다고 보았던 것이다. 나는 휴이넘의 언어와 억양, 몸짓을 따라 하기 위해 노력했다. 정말 따라 하고 싶었던 것은 그들의 완전한 이성이었다.

나는 휴이넘에서 영원히 살고 싶었다. 그러나 어느 날 아침, 주인이 난처한 얼굴로 말을 꺼냈다.

"지금부터 내가 하는 말을 어떻게 받아들일지 잘 모르겠네. 그렇지만, 더 이상 시간을 끌 수가 없어서 말을 꺼내는 걸세. 많은 휴이넘들이 자네의 존재에 대해 신경을 쓰고 있어. 어쨌거나 휴이넘들과 함께 야후가 밥을 먹고 이야기를 한다는 사실을 이해시키기 어려웠네."

나는 정말이지 휴이넘을 떠나고 싶지 않았다. 주인은 조심스럽게 말을 이었다.

"대표 회의에서는 자네를 야후들에게로 보내거나, 아니면 원래 살던 곳으로 돌려보내기를 원하네."

나는 고개를 떨구었다. 주인은 나를 야후들에게로 보내고 싶지 않았는지, 서둘러 배를 만들어 휴이넘을 떠나라고 했다.

주인은 아쉬운 듯 말했다.

"나는 자네가 나쁜 습관을 조금씩 고쳐 가고 있다는 것을 아네. 그렇지만 대표 회의의 결정은 따라야 해. 그것은 이성에 대한 권고勸告니까."

나는 이 곳을 떠나야 한다는 충격을 이기지 못하고 그만, 기절했다. 나중에 정신을 차린 나는 힘없는 목소리로 이렇게 말했다.

권고(勸告) : 어떤 일을 하도록 타이르며 권함.

이성이 지배하는 휴이넘도 야후에 대한 편견만은 버리지 못하는구나.

"괜찮아요. 그렇지만, 죽는 게 더 나았을 것 같네요. 영국으로 돌아간다면 휴이넘의 덕성을 알리고 그것을 배우라고 하겠어요."

그러고는 주인에 대한 복종의 의미로 배를 만들겠다고 대답했다. 주인은 갈색 말에게 내 작업을 도우라고 말했다. 갈색 말은 가만히 고개를 끄덕였다. 그는 내가 친구라고 부를 만큼 가까운 사이였다.

그리고 갈색 말과 함께 언덕 위로 올라가 바다를 둘러보았다. 망원경을 꺼내 보니 236킬로미터쯤 떨어진 곳에 섬이 보였다. 다른 섬이 있는 줄 몰랐던 것은, 그동안 휴이넘을 떠나려는 생각을 하지 않았기 때문이었다. 나는 갈색 말에게 섬이 보이냐고 물었지만, 갈색 말의 눈에는 보이지 않는 모양이었다. 갈색 말은 이렇게 대답했다.

"푸른 구름은 보여."

나는 푸른 구름이 아니라 다른 섬이라고 말하려다가 그만두었다. 갈색 말은 휴이넘 외에는 다른 나라가 없다고 믿고 있었다. 그런 갈색 말이 부러웠다. 나에게도 지금 머물고 싶은 곳은 휴이넘의 나라뿐이었다.

"그래, 난 푸른 구름으로 갈 거야. 널 잊지 않을게."

갈색 말과 나는 날카로운 연장으로 떡갈나무를 베어 냈다. 떡갈나무로 6주 동안, 우리는 작은 배를 만들었다. 야후의 가죽을 엮어서 배를 덮고, 노도 만들었다. 먹을 것과 우유, 물을 담은 항아리도 준비했다. 시간이 너무 빨리 지나갔다. 떠날 생각을 하니 몹시 견디기 힘들었다.

드디어 떠나는 날, 주인과 이웃 휴이넘들이 모두 바다로 나왔다. 나는 주인의 발굽에 입맞추기 위해 고개를 숙였다. 그는 발을 들어서 내 입에 가져다 주었다. 나는 주인과 휴이넘들에게 작별作別 인사를 했다. 그들은 내가 탄 배가 푸른 구름을 향해 움직이는 것을 지켜보았다.

1714년 혹은 1715년, 2월 15일 아침 9시, 나는 목적지

작별(作別) : 이별의 인사를 나눔.

갑자기
'낙화'라는 시가 생각나는걸.
"가야 할 때가 언제인가를
분명히 알고 가는 이의
뒷모습은 얼마나 아름다운가."
아! 슬프다.

가 없는 항해를 시작했다. 나는 더 이상 새로운 미지의 세계를 탐험하고 싶은 마음이 없었다. 휴이넘의 나라는 내가 알고 있는 어떤 세상보다도 아름답고 행복한 곳이었기 때문이다.

멀리서 갈색 말이 '흐누이 일라 니하 마이야 야후!' 라고 외치는 것이 들렸다. 그것은 '부디 조심히 가거라, 친절한 야후야!' 라는 뜻이었다. 당장이라도 배를 돌려 휴이넘의 나라로 돌아가고 싶은 마음이 굴뚝같았지만 꾹 참았다.

어딘가 혼자 살 만한 섬이 있었으면 좋겠다는 생각을 했다. 그렇다면 그 곳에 머물며 조용히 살아가고 싶었다. 타락한 야후들이 세운 사회에서 비열한 정부의 지배를 받으며 산다는 것은 생각만으로도 끔찍했다.

몇 개의 무인도를 거치면서, 내 반대 항로에서 커다란 배가 다가오는 것을 보았다. 그 배에 도움을 청할까 말까

168 | 4장

아무래도 걸리버 는 휴이넘의 나라에 너무 동화되었어. 말투까지 바뀐 걸 보면 말이야.

망설이다, 야후들에 대한 끔찍한 기분에 나는 뱃머리를 돌려 버렸다. 그리고 작은 섬에 보트를 댔다.

잠시 후 커다란 배도 그 섬에 도착했다. 이 곳은 잘 알려진 섬 같았다. 선원들은 나를 발견하고는 내가 이 섬의 원주민이 아니라는 사실을 알아채고 내게 어디서 왔느냐고 물었다. 나는 중얼거리면서 대답했다.

"휴이넘에게 추방당한 불쌍한 야후요. 그냥 내 길을 가게 내버려 두시오."

그들은 껄껄거리며 웃었다. 내 말투가 꼭 '히잉히잉' 말 울음소리를 닮았던 것이다. 그들 중 누군가가 말했다.

"생김새를 보아하니 유럽 사람 같은데, 혹시 난파당한 거 아니오?"

나는 실낱같은 목소리로 대답했다.

"난 영국 사람입니다. 벌써 수년째 여행을 하고 있죠. 몇 해가 지났지? 5년이었나, 어쩌면 6년이 지났는지도 모르겠군요."

그들은 포르투갈 사람들이었다. 영국과 포르투갈은 동맹同盟을 맺고 있었다. 그들은 내 옷차림과 말투, 행동 모두가 이상했음에도 오직 영국 사람이라는 이유만으로 그들의 배에 태웠다.

야후의 세계로 돌아가고 싶지 않았던 나는 계속 보내 달라고 애원하였다. 그러나 그들은 내 이야기에 전혀 귀를 기울이지 않았다. 선장은 내가 긴 여행으로 힘든 일을 많이 겪으며 아마도 미쳐 버린 모양이라고 말했다. 선원들도 같은 생각이었다.

그들은 나를 배에 태우더니, 맛있는 식사를 차려 주었다. 편안한 잠자리에서 잠을 재워 주기도 했다. 그러나 그렇게 잘 먹고, 잘 자고도 나는 몇 번이나 바다로 뛰어들려고 했다. 영국으로 돌아가고 싶지 않았던 것이다. 번번히

동맹(同盟) : 목적을 이루기 위해 동일한 행동을 취할 것을 맹세하여 맺는 약속이나 언약.

늘 영국 배에 의해 구조를 받던걸 리버, 이번에는 영국과 동맹국인 포르투갈 배의 구조를 받다니! 우연이 너무 자주 반복되는걸.

선원들에게 붙잡혀서 내 꿈은 무산되고 말았다.

저녁 식사를 마치고 선장이 내게 조심스럽게 물었다.

"왜 바다로 뛰어들려고 합니까? 집에 돌아가고 싶지 않소? 가족이 기다리고 있을 텐데요."

나는 선장에게 휴이넘의 나라에 대해 이야기했다. 그리고 야후들에 대해서도. 그러나 선장은 믿지 못했다.

"아마도 꿈이나 환상幻想 세계에 빠져 있는 것 같은데, 그 이야기를 누가 믿겠습니까? 말들이 말하고 사람이 짐승처럼 사는 나라라니?"

나는 몹시 화가 났다. 휴이넘의 나라에 사는 동안 거짓말이 존재한다는 것 자체를 잊어버리고 살던 나였다. 그런데 그런 나를 거짓말쟁이로 몰다니. 그럼에도 휴이넘에서 다듬었던 이성적인 태도로 차분히 대화를 이끌어 갔다.

환상(幻想) : 현실로는 있을 수 없는 일을 있는 것처럼 상상하는 일.

현명한 선장은 나와 대화를 좀 더 나눈 후에야 내 말이
사실일지도 모른다고 믿게 되었다. 그리고 언젠가 자신의
친구가 말했던 이야기를 기억해 냈다.

　　"사실 어떤 친구가 그와 비슷한 이야기를 한 적이 있어
요. 어떤 섬에선가 말들이 인간을 닮은 동물을 끌고 가는
것을 본 적이 있다고. 그 때는 웃기는 이야기쯤으로 그냥
흘려들었는데……."

　　나는 '말'이라는 단어만 들어도 가슴이 아팠다.

　　휴이넘의 세계로 돌아가고 싶은 충동(衝動)이 그 뒤로도
여러 번 나를 바다로 뛰어들게 만들었다.

　　배는 포르투갈의 리스본에 무사히 도착했다. 선장은 자
신이 아끼는 좋은 옷을 내게 선물로 주었지만, 나는 그 옷
을 조금도 입고 싶지 않았다. 야후의 냄새가 날 것 같았기
때문이었다.

　　포르투갈에 도착해서 나는 새 양복을 맞추었지만, 입기

충동(衝動) : 마음을 들쑤셔서 흔들어 놓음.

전에 두 번이나 손수 빨았다. 야후의 냄새가 묻어 있을까 봐 두려웠기 때문이었다.

나는 아무도 보지 않는 높은 방에서 혼자 지냈다. 거리를 돌아다니면서 야후들과 눈을 마주치고 함께 밥을 먹는 것은 생각만 해도 끔찍했다.

리스본에 도착한 지 열흘이 지나자 선장은 내게 집으로 돌아가라고 말했다. 나는 완강하게 거부했으나, 선장은 여러 번 나를 설득했다.

"가족에게 돌아가세요. 그것이 당신의 양심과 명예를 지키는 일입니다. 지금 항구에는 영국으로 떠나는 배가 기다리고 있어요. 귀국에 필요한 것들도 모두 준비해 두었습니다. 당신은 오직 이 방을 나가서 그 배를 타기만 하면 됩니다."

"차라리 나를 무인도로 데려다 주세요."

"무인도요? 왜 힘들게 무인도로 가겠다고 하십니까? 꽁꽁 숨어 지내고 싶어서요? 그렇다면 왜 굳이 무인도로 가려고 하십니까? 그럴 바에는 당신 집에서 조용히 은둔을 즐기는 편이 더 좋지 않겠소?"

선장의 말에 나는 고개를 끄덕였다. 어느 곳이고 혼자 지낼 수 있다면 무인도와 다를 게 뭔가 싶었다. 생각 끝에 나는 고개를 끄덕였다. 집으로 돌아가기로 한 것이다.

1715년 11월 24일, 나는 영국으로 가는 배에 올랐다. 포르투갈 인 선장은 내게 돈도 얼마만큼 주었다. 12월 5일 아침, 배는 영국에 무사히 도착했다.

집으로 터덜터덜 걸어가자 내가 죽었을 거라고 생각했던 가족들이 몹시 놀라며 달려나와 나를 맞았다. 그들은 나를 얼싸안고 울기까지 했는데 나는 아무런 감정도 들지 않았다. 다만 그런 행동들이 너무나 야후 같아서 경멸감만 들었다.

나에게 아무런 피해를 주지 않는데도 이웃 사람을 보고 있는 것만으로 나는 감정이 상했다. 야후들의 냄새를 맡으며 그들과 어울려 살아야 하는 것은 지독하게 끔찍한 일이었다.

포르투갈 선장의 말처럼, 나에게는 은둔할 곳이 필요하

다고 생각했다. 나는 돈을 들여 네 마리의 말을 구입했다.
그리고 마구간을 지었다. 그리고 하루 종일 마구간에서
지냈다. 몇 시간씩 말들과 이야기를 나누다 보면 마음이
편해졌다. 네 마리의 말들과 함께 있는 마구간이 그 어느
곳보다 안전하고 포근하게 느껴졌다.

나는 말과 깊은 사랑에 빠졌음을 알았다.

PART 3 PART 3
PART 3 PART 3
PART 3 PART 3 PART 3
PART 3 PART 3 PART 3
PART 3 PART 3 PART 3 PART 3
PART 3 PART 3 PART 3 PART 3 PART 3
PART 3 PART 3 PART 3 PART 3 PART 3 PART
PART 3 PART 3 PART 3 PART 3 PART 3
PART 3 PART 3 PART 3 PART
PART 3 PART 3 PART 3
PART 3 PART 3 PART 3

끌어지는 논술

재밌게 읽었니?
그렇다면 이제 부터
〈걸리버 여행기〉를
살살 이 피헤쳐 봅시당.

PART 3

깊어지는 논술

걸리버 여행기 (Gulliver's Travels)

1726년, 작가 조나단 스위프트가 15년이란 긴 시간을 들여 완성한 〈걸리버 여행기〉를 발표했을 때 영국 사회는 발칵 뒤집혔어요. 그만큼 이 작품은 당시 사회를 날카롭게 비판하고 있으니까요.

책의 앞머리에서 작가는 이렇게 말합니다.

"나는 사람들이 이 책을 읽고 즐기라고 쓴 것이 아닙니다. 읽고 분노하라고 썼습니다."

〈걸리버 여행기〉는 동화로 많이 알려져 있지요. 주인공 걸리버가 작은 사람들의 나라와 큰 사람들의 나라에 간다는 사실만으로도 이 작품은 많은 사람들의 사랑을 받았어요. 하지만 사실 〈걸리버 여행기〉는 비판적 성격이 아주 강한 시대 풍자 소설이랍니다.

◀ 여러 나라를 여행한 걸리버는 과연 무엇을 깨닫게 되었을까요?

조나단 스위프트 (Jonathan Swift, 1667~1745)

〈걸리버 여행기〉의 작가 조나단 스위프트는 아일랜드 더블린에서 태어난 영국의 소설가예요. 뛰어난 소설로 세상을 향한 날카로운 비판을 서슴지 않았던 사람이지요. 특히 대표작인 〈걸리버 여행기〉를 통해 당시의 영국 사회를 통렬하게 풍자했답니다. 그래서 어떤 사람들은 그를 '인류 혐오자'나 '정신병자'라고 부르기도 했어요.

조나단 스위프트는 혼란스러웠던 18세기 초 영국 사회를 바로잡고 싶어했어요. 그는 정직한 성직자였고, 애국자이기도 했어요. 오늘날 그의 조국 아일랜드에서는 그를 국가적인 영웅으로 존경하고 있습니다.

난 정신병자가 아니에요.

◀ 애니메이션
〈천공의 성 라퓨타〉 포스터.

우리가 사는 세상은 과연 올바른 세상일까요?

모두들 〈걸리버 여행기〉를 재밌게 읽었나요? 이제 모든 여행은 끝이 났어요. 걸리버는 더 이상 여행을 떠나지 않을 거예요. 우리 모두 그 이유를 생각해 볼까요?

작은 사람들의 나라에서 작은 것은 사람들의 몸집뿐만이 아니었어요. 작은 사람들의 마음도 아주 좁았지요. 쓸데없는 싸움도 아주 많았잖아요. 신발의 높은 굽과 낮은 굽을 두고 싸우기도 하고, 달걀을 깨는 방향을 가지고 싸우기도 했어요. 여러분도 사소한 이유로 친구들과 싸운 적이 있나요? 작은 사람들처럼 무의미한 싸움을 길게 끌지는 않았나요?

큰 사람들의 나라에 대해서도 생각해 볼까요? 큰 사람들은 몸집은
컸지만 마음은 넓지 않았어요. 큰 사람들의 나라 국왕은 걸리버의
고향인 영국을 비난했어요. 잔인하고 폭력적인 나라라고 말이에
요. 그러나 걸리버가 작다는 이유로 무시하는 국왕의 태도 또한
폭력적이라는 건 미처 생각하지 못했겠지요? 만약 걸리버가 몸집
이 컸다면 국왕에게 '벌레'라는 소리를 들었을까요? 혹시
여러분도 덩치가 작고 약한
친구에게 상처가 되는 행동
을 한 적은 없었는지 생각
해 보세요.

하늘을 나는 섬에서 만난 사람들 역시 자신보다 못한 사람을 무시하고 경멸했어요. 그러나 그들이 생각하는 잘난 사람과 못난 사람의 기준은 참 엉터리지요. 실용적으로 쓸 수 있는 지식이 아니라 머릿속의 학문만 가지고 따졌으니 말이에요. 그런 나라에서 백성들의 삶이 피폐해지는 것은 당연한 일이었을 거예요. 한번 생각해 보세요. 헛된 꿈과 지식만 좇는 사람들이 우리 사회에도 있지는 않나요?

그러나 말들의 나라에서는 거짓이라는 것이 아예 존재하지 않아요. 말들의 나라 주인인 휴이넘들은 확실히 알지 못하는 것에 대해 떠드는 것을 수치스럽게 생각해요. 하늘을 나는 섬의 나라 사람들이 쓸모 없는 지식을 가지고 떠들었던 것과는 다른 모습이지요.

게다가 휴이넘들은 작은 사람들의 나라나 큰 사람들의 나라에서처럼 모습이 다르다고 해서 무시하거나 경멸하지도 않았어요.

작은 사람들의 나라에서는 달걀을 깨는 방향을 가지고도 법을 만들었어요. 큰 사람들의 나라에서는 자신들의 법만이 최고라고 생각했지요. 하늘을 나는 섬의 나라에서는 생활과 동떨어진 법을 추구했어요. 자율적인 도덕이라고는 찾아볼 수 없었지요.
이 모든 나라들과 말들의 나라의 다른 점은 무엇이었을까요?

그것은 바로 이성이었어요. 말들의 나라에서 휴이넘들은 이성이 가르치는 대로 도덕적인 삶을 살았어요. 그 곳에는 강제적인 법이 따로 정해져 있지 않았지요. 휴이넘들이 만든 세계가 아름답게 느껴졌던 이유는 '그렇게 해야 한다.'는 생각이 들면 그대로 행동했기 때문이에요.

그러나 우리 사회는 어떤가요? 여러분들은 머릿속으로는 '그렇게 해야 한다.'고 생각하면서도 욕심 때문에 막무가내로 행동한 적은 없었나요? 인간들의 사회에서는 도덕보다 법이 더 무서운 것이 되어 버렸어요. 법을 지키지 않을 때는 강력한 처벌이 뒤따르니까요.

그러나 〈걸리버 여행기〉는 인간을 인간답게 하는 가장 중요한 요소는 바로 이성이라는 이야기를 해 주고 있어요. 이성에 따라 행동하는 것이 도덕적인 삶이라는 이야기도 함께요.

이성을 존중하는 사회, 그것은 휴이넘들이 꿈꾸는 사회이자, 걸리버가 소망하는 사회예요. 이 이야기의 작가 조나단 스위프트가 생각하는 아름다운 사회이기도 하고요.

PART 4

눈을 크게 뜨고 봐~!

PART 4

논술 워크북

1-1 걸리버는 여러 나라를 여행하였습니다. 고생을 많이
    했음에도 불구하고 계속해서 여행을 떠난 이유는 무엇
    일까요?

1-2 걸리버가 여행한 나라들은 어디인가요?

HINT

본문에 다음과 같은 구절이 나옵니다. 다음 내용을 참고하세요.
"결국 1706년 8월 5일, 다시 항해를 떠나게 되었다. 지금까지 겪은 일을 모
두 잊어버린 것은 아니었지만, 새로운 모험에 대한 기대는 언제나 나를 흔들
어 댔다. 물론 아내를 설득하는 일은 어려웠다. 그러나 아이들에게도 도움이
될 거라는 말에, 결국 아내도 내 여행을 허락하고 말았다."

– 제3장

2 '래가도' 라는 나라의 아카데미에는 여러 가지 문제에 대
해 연구하는 학자들이 많이 있었습니다. 오이에서 태양
광선을 추출해 내려는 사람, 대변을 원래의 음식으로 되
돌리려는 사람, 집을 지을 때 지붕부터 짓는 방법을 연구
하는 사람, 거미에서 실을 뽑아 비단을 만들려는 사람, 배
에 펌프를 연결해 배 아픈 것을 고치려는 사람 등이 그들
이지요.

여러분들은 이런 사람들의 연구가 그럴듯하다고 생각하
나요? 아니면 터무니없다고 생각하나요? 여러분들의 생
각을 말해 보세요.

HINT

역사를 살펴보면, 절대로 할 수 없다고 여겨졌던 일들을 실제로 해낸 사람들
도 있습니다. 비행기를 발명한 라이트 형제가 그 중 하나지요. 이처럼 불가
능해 보이는 생각을 실현시킨 사람들과, 래가도의 학자들을 비교해 보면, 해
답의 실마리를 찾을 수 있을 것입니다.

3 여러분이 걸리버처럼 작은 사람들의 나라나 큰 사람들의 나라에 가게 되었다고 가정해 봅시다. 여러분은 그 곳에서 무엇을 하고 싶은가요? 두 나라 중 하나를 택하여 그 나라에서 무슨 일을 하고 싶은지 적어 보세요.

HINT

우리는 세계화 시대에 살고 있습니다. 정보통신의 발달로, 다른 나라에서 지금 벌어지는 일들을 거의 모두 알 수 있지요. 또한 우리는 어느 나라나 마음대로 여행할 수 있고, 그 곳에 가서 살 수도 있습니다. 걸리버는 폭풍이나 해적 때문에 다른 나라에 갔지만 우리는 우리 마음대로 갈 수 있는 것이지요. 다른 나라에 가면 그 곳 사람들이 우리와 많이 다르다는 것을 알게 됩니다. 우리가 그 나라에 가고 싶은 이유는 무엇인가요? 그리고 그 곳에서 무엇을 하며 살고 싶은가요? 자신과 그 곳 사람들이 모두 행복해지는 일을 하고 산다면 가장 좋은 일이 아닐까요?

4 걸리버는 우연히 여러 나라에 가게 됩니다. 그 곳 사람들
  은 걸리버의 모습이 자기와 같지 않다고 하여 걸리버를
  이상한 동물처럼 대하지요. 여러분은 겉모습이나 행동이
  나와 다르다는 이유로 다른 사람을 무시한 적은 없나요?
  다음 〈보기〉에서 한 가지를 골라 그들을 대하는 우리의
  태도에 대해 생각해 보고, 왜 그렇게 생각하는지 자신의
  주장과 이유를 적어 보세요.

〈보기〉

예 1 장애우

예 2 자기 의견을 잘 말하지 못하고 행동이 느린 아이

예 3 우리와 피부색이 다른 아이

예 4 나보다 부자이거나 가난한 아이

● **내가 선택한 예**

● **나의 주장**

● **주장에 대한 이유**

5 다음은 본문의 내용입니다. 글을 읽고 제시한 문제에 대해 자신의 의견을 적어 보세요.

> 휴이넘들은 철저히 이성에 따라 행동했다. 이들의 언어에는 악하다는 뜻의 단어가 없었다. 거짓말이라는 단어도 없었다. 다만 그들은 자식이 게으르게 행동하거나, 날씨가 좋지 않을 때, 혹은 하인이 어리석을 때 '야후 같은'이라는 말을 사용한다. 그것이 최악의 단어이기 때문이다. 자만심이나 허영도 없었다. 친구를 배반하거나 누군가에게 아첨하거나 적을 두려워하는 일도 없었다.
>
> (중략) 내가 살던 집으로 돌아오자 가족들과 이웃은 나를 반갑게 맞았다. 그러나 나는 하나도 기쁘지 않았다. 야후들의 냄새를 맡으며 그들과 어울려 살아야 한다고 생각하니 끔찍했다.

걸리버는 마지막으로 말들의 나라인 휴이넘의 나라를 여행하고 돌아옵니다. 그 나라에는 사람의 모습을 하고 있으나 나쁜 행동을 일삼는 야후도 살고 있고, 이성을 가지고 고상하게 행동하는 말인 휴이넘들도 있습니다.

원래 인간은 이성을 가지고 행동하고, 동물은 생각 없이 자기가 하고 싶은 대로 행동합니다. 그렇지만 이 나라는 반대입니다. 만약 여러분이 동물의 마음을 가진 인간(야후)과 인간의 마음을 가지고 있는 말(휴이넘) 가운데 한 가지 모습으로 살아야 한다면 어떤 모습으로 살고 싶은가요? 자신의 의견과 이유를 적어 보세요.

다음 〈보기〉의 주장에서 하나를 선택하세요. 그리고 주장에 대한 근거를 말해 보세요.

〈보기〉

주장 1 나는 동물의 마음을 가진 인간으로 살고 싶다.

주장 2 나는 인간의 마음을 가지고 있는 말로 살고 싶다.

● **나의 주장**

● **주장에 대한 이유**

6 논술 5단계 문제에서 자신이 되고 싶은 모습을 선택했나
요? 그것이 자신의 주장입니다. 그리고 그 이유를 생각해
보았나요? 그렇다면 그것을 가지고 글을 써 보세요. 그리
고 가족이나 친구들에게 크게 읽어 주세요.

가이드북
GUIDE BOOK

〈걸리버 여행기〉에 대하여

이 작품을 쓴 조나단 스위프트는 영국과 아일랜드 모두에서 정치를 하였는데, 영국의 지배를 받고 있는 자신의 나라 아일랜드를 위해 용감한 일을 많이 하여 지금도 아일랜드의 국가적인 영웅으로 존경받고 있습니다. 그는 인간의 어리석음이나 사회의 모순 등을 날카롭게 풍자하는 작가로 널리 알려져 있습니다.

이 작품은 그의 자유로운 상상력이 돋보이는 작품으로 세계 각국에서 읽히고 있습니다. 스위프트가 처음부터 지금의 순서대로 〈걸리버 여행기〉를 쓴 것은 아닙니다. 여러 나라에 대한 여행기를 쓴 다음, 나중에 다시 순서를 정했다고 합니다.

그의 작품은 인간과 사회를 강하게 비판하고 풍자하는 내용을 담고 있어서, 일부 내용이 삭제되어 출판되기도 했고, 한때는 '읽으면 안 되는 책'으로 지정되기도 했습니다. 그리고 그의 재치 있는 풍자나 비판이 담긴 부분은 없애고 어린이들에게 흥미가 있을 만한 부분만 정리하여 오랫동안 아동용 도서로 알려지기도 했습니다.

작품의 전체 줄거리

걸리버는 외과의사로 여행을 좋아하는 사람입니다. 그래서 그는 아픈 선원을 돌봐 줄 것을 부탁받고 자주 항해길에 올랐습니다. 그런데 그 때마다 재난이 발생하여 여러 나라에 혼자 남게 되지요. 달걀 깨는 법을 어겼다고 해서 사람을 죽여 버리고 전쟁을 하는 작은 사람들의 나라에도 가고, 걸리버가 작기 때문에 이성도 없을 것이라고 의심하는 큰 사람들의 나라에도 갑니다. 수학, 천문학, 음악에만 관심이 있는, 하늘을 날아다니는 나라, 이상한 연구만 하는 나라, 죽은 사람들을 불러 내어 이야기할 수 있는 나라에도 갑니다. 그리고 마지막으로 이성을 가진 말들이 추악한 인간들을 지배하는 나라에도 갑니다. 그는 그 곳에서의 행복했던 생활을 잊지 못하고 집에 돌아와서도 인간이 아닌 말과 함께 이야기하며 살아갑니다.

〈걸리버 여행기〉의 의미

걸리버가 이야기한 나라들은 곧 우리가 살고 있는 나라입니다. 우리 주위에는 자신보다 키가 큰 사람을 무조건 대단하게 생각하는 사람들이 있고, 나보다 작은 사람을 깔보는 사람도 있습니다. 그리고 우리 가운데는 현실에는 관심이 별로 없고 삶에 도움이 되지 않는 연구만 하고 허황된 생각만 하는 사람들이 있습니다. 그리고 '짐승만도 못 한 사람', '짐승보다 더한 사람' 들도 많습니다. 걸리버가 여행한 나라는 곧 우리가 살고 있는 나라입니다. 그래서 〈걸리버 여행기〉를 우리 시대를 풍자한 시대 풍자 소설이라고 하는 것입니다.

걸리버의 여행을 통해 조나단 스위프트가 보여 주려고 한 것은 거짓말과 허울뿐인 법, 그리고 부도덕한 행동으로 가득 찬 18세기 영국 사회였지만, 우리 사회 역시 그 시대와 크게 다르지 않습니다. 사실 세계적으로 수많은 시대 풍자 소설이 있지만 지금까지도 〈걸리버 여행기〉는 〈동물농장〉과 함께 이 시대 최고의 풍자 소설로 손꼽히고 있습니다. 〈걸리버 여행기〉가 세계적인 명작으로 꼽히는 이유는 그가 전하려고 한 메시지가 지금까지도 유효하기 때문일 것입니다.

1-1 사고 영역 _ 사실적 이해

본문의 내용을 잘 이해했는지 확인하기 위한 문제입니다. 힌트와 주어진 설명을 참고하여 답을 생각해 보세요.

　　우리 주위에는 여행을 좋아하는 사람들이 많이 있습니다. 깨끗한 호텔에서 푹 쉬면서 맛있는 음식을 먹기 위해 여행하는 사람들이 있는가 하면, 아프리카나 인도, 남미 등의 부유하지 않은 나라를 여행하면서 새로운 경험을 즐기는 사람들도 있습니다. 여러분은 어떤 여행이 마음에 드나요? 걸리버는 항해 도중 나쁜 일이 생겨 심하게 고생할 것이라고 생각하면서도 매번 여행을 떠납니다.

　　여행은 우리에게 어떤 도움을 줄까요? 많은 사람들은 자신이 보고 느낀 것만이 전부라고 생각합니다. 그러나 다른 지방을 여행하다 보면, 그곳에는 나와 다르게 행동하고 생각하는 또다른 사람들이 많다는 것을 알게 됩니다. 우리는 우리 나라 풍습이 항상 옳다고 생각할 수 있습니다. 그러나 그러한 풍습이 다른 나라에 가면 나쁜 행동으로 취급받기도 합니다. 여행은 나와 다른 것을 많이 보고, 배우고, 느끼게 하며, 우리가 넓고 깊은 생각을 할 수 있게 돕습니다.

CHECKPOINT

여행의 목적을 생각해 봅시다. 그것은 지금이나 옛날이나 다르지 않습니다.

본문의 내용을 얼마나 잘 이해했는지를 확인하는 문제입니다. 〈걸리버 여행기〉의 전체 흐름을 정리해 봅니다.

잘 생각해 보세요. 그래도 생각이 안 나면 다시 책을 보세요. 걸리버는 제일 먼저 작은 사람들의 나라 릴리펏에 갑니다. 그 다음에는 큰 사람들의 나라 브로브딩내그에 가지요. 그 후, 하늘을 나는 섬나라인 라퓨타에 갑니다. 라퓨타에서는 다시 여러 곳을 더 방문하지요. 그리고 집에 돌아왔다가 마지막으로 말들의 나라인 휴이넘에 갔다 옵니다.

꼭 여행한 순서대로 말할 필요는 없습니다. 여행한 곳에서의 사건을 기억하고 말할 수 있는 것이 더 중요합니다.

 CHECKPOINT

나라의 이름만이 중요한 것은 아닙니다. 각각의 나라들은 어떤 특징이 있고, 걸리버는 그곳에서 무엇을 깨달았는지 생각해 보는 것이 더욱 중요합니다.

---

2 사고 영역 _ 비판적 사고

사태의 결과를 비판적으로 바라보는 시각을 길러 주는 문제입니다. 연구
를 많이 하면 할수록 백성들이 더욱더 가난해진다면 그 연구가 필요한 것
인지 생각해 보아야 합니다.

　무노디 영주는 40년 전 라퓨타에 다녀온 사람들이 있었다고 말
했다. 그들은 몇개월간 라퓨타에서 수학과 음악을 배운 후, 돌아왔
다. 그 후 그들은 래가도에 아카데미를 설립해서 이 곳을 지적인 도
시로 만들겠다고 했다는 것이다. 국민들은 그들을 굳게 믿었고, 아
카데미가 우후죽순으로 생겨났다. 사람들은 1주일 만에 궁전을 짓
는 법이나 원하는 계절에 과일이 열리는 작물 재배법을 연구하느라
바빴다. 그러는 동안 땅은 황폐해졌고 식량과 옷은 떨어졌다.

- 제3장

　우리는 남들이 생각하지 못했던 일에 호기심을 갖고 연구해야 한다고
말합니다. 과학은 그렇게 발전되어 왔기 때문입니다. 그러나 그것은 증명
할 수 있고, 이룰 수 있는 것이어야 합니다. 또한 많은 사람들에게 도움이
되는 것이어야 합니다.

　오이에서 태양 광선을 추출해 내거나, 대변을 원래의 음식으로 되돌리
려고 하거나, 거미에서 실을 뽑아 비단을 만들려고 하거나, 집을 지붕부

터 짓겠다는 시도는 그럴듯한 시도가 아닙니다. "나는 이다음에 결혼해서 아기를 가지면 이미 나이가 스무 살인 갓난아이를 낳을 거야. 아기 키우기가 힘들 테니까."라고 마음먹는 것만큼 황당하고 불가능한 생각일 뿐이지요.

학문 연구와 실제 생활은 서로 연결되어야 합니다. 이루어질 수 없는 것을 연구하느라 많은 사람들이 시간을 허비한다면 결국 모두 불행해질 것이고, 그 연구는 쓸모 없는 연구가 되어 버릴 것입니다. 과학적으로 불가능한 것들은 처음부터 시도하지 말아야 시간을 낭비하지 않습니다.

물론 여기에 나온 연구들이 이루어질 수 있는 것이라는 증거를 제시할 수 있다면 이들의 연구가 바람직하다고 주장할 수도 있습니다.

 CHECKPOINT

학문 연구는 현실과 맞닿아 있어야 가치가 있습니다.

3 사고 영역 _ 창의적 사고

본문에 나오지 않은 것을 자유롭게 상상하면서 자신의 독특한 견해를 만들어 나가는 문제입니다.

　여러분은 어느 나라에 가고 싶은가요? 작은 사람들의 나라에서 사람들을 거느리며 왕으로 살고 싶은 사람도 있을 것이고, 큰 사람들의 나라에서 귀여움을 독차지하며 살고 싶은 사람도 있을 거예요. 어떤 나라를 선택해도 좋습니다. 정답은 없으니까요. 다만 그 이유가 분명했으면 좋겠습니다. 여러 가지 상상의 날개를 펼쳐 보세요.

　하지만 작은 사람들의 나라에 가서 왕처럼 행세하며 작은 사람들을 함부로 부리겠다고 생각한다면 그것은 훌륭한 생각이 아니지요. 작은 사람들도 사람으로 대우받아야 하니까요. 이왕이면 멋진 나라를 만들어 보겠다고 생각해 보세요.

　그렇다면 작은 사람들의 나라에서 어떤 일을 할 수 있을까요? 욕심을 부리지 않고 나라를 훌륭하게 이끌고 싶은 마음이 있다면 여러 가지 일을 할 수 있을 거예요. 전쟁을 막거나 갈등을 해결하고, 식량을 충분히 마련할 수도 있겠죠. 그런데 그 전에 먼저 해결해야 할 문제도 많아요. 내가 먹을 음식을 마련하는 일도 그 중에 하나겠지요. 구체적인 내용을 많이 제시해 보세요. 그렇게 하면 어른이 되었을 때, 모두가 살기 좋은 나라를 만드는 데 무엇이 필요한지도 알게 될 테니까요.

　큰 사람들의 나라에 가서 어떤 일을 할지 말하려면 더 창의적으로 생각해야 할 것 같아요. 내 몸이 워낙 작아 그 곳에서는 내 마음대로 할 수 없을 테니까요. 잘못하면 큰 사람들 발에 깔려 죽을 수도 있습니다. 여러분의 재미있는 상상력을 발휘해 보세요.

CHECKPOINT

자신의 꿈이 무엇인지를 생각해 봅시다.

---

4 사고 영역 _ 논리적 사고

생각할 거리를 정해 보고 자신의 주장을 마련하도록 하는 문제입니다. 또한 자기가 왜 이런 선택을 했는지 그 이유를 생각해 보는 문제입니다.

이런 문제의 경우 '장애우'나 '자기 의견을 잘 말하지 못하고 행동이 느린 아이', 또는 '피부색이 다른 아이'나 '나보다 부자이거나 가난한 아이' 중에 어느 것을 택해도 상관이 없습니다. 선택은 자유입니다.

문제는 내가 선택한 예와 나의 주장, 그리고 나의 주장에 대한 이유가 분명해야 한다는 점입니다. 여러분도 다음과 같이 다양한 주장과 이유를 말해 보세요. 물론 하나의 주장과 이유를 말해도 괜찮습니다.

내가 선택한 예 나보다 가난한 아이

나의 주장 1 우리는 나보다 가난한 아이를 깔보지 않아야 한다.

나의 주장에 대한 이유 1 그 아이가 가난하게 사는 것은 그 아이의 탓이 아니며, 가난하다고 해도 이 사회에 도움이 되는 사람으로 자랄 수만 있다면 좋은 아이라고 할 수 있기 때문이다.

나의 주장 2 내가 조금 잘살고 있다고 해서 가난한 아이를 무시하는 것은 바보 같은 행동이다.

나의 주장에 대한 이유 2 사람은 누구나 불의의 사고로 가난해질 수 있기 때문이다. 부모가 갑자기 교통 사고로 돌아가시거나 사업에 실패한다면, 우리도 가난해질 수 있다. 그 때 친구들이 나를 무시한다면 무척 화가 날 것이다. 조금만 입장을 바꿔 생각해 보면, 우리의 어리석은 행동은 많이 사라질 것이다.

CHECKPOINT

다르다는 것은 나쁜 것이 아닙니다. 또한 모든 사람들이 행복하게 살아가기 위해서는 다른 사람들을 이해하는 마음이 있어야 합니다. 내가 다른 사람의 입장이라면 어떨지를 생각하는 역지사지의 마음이 필요합니다.

⑤ 사고 영역 _ 논리적 사고

인간은 어떻게 살아가는 것이 좋은지 묻는 질문입니다. 유일한 답은 없습니다. 주장 1이나 주장 2 중 하나를 택하고, 그에 대한 근거를 마련하면 됩니다.

이 문제에 대한 여러분의 주장은 '나는 동물의 마음을 가진 인간으로 살고 싶다.'거나 '나는 인간의 마음을 가지고 있는 말로 살고 싶다.'라는 주장 둘 중 하나여야 합니다. '인간의 마음을 가지고 있는 인간으로 살고 싶다.'고 주장한다면 문제의 의도를 제대로 파악하지 못한 것이지요. 나는 어떤 모습으로 살아야겠습니까? 곰곰이 생각해 봅시다.

간단히 말하면, 아무 생각 없이 먹기만 하는 돼지로 살기보다는 배부르게 먹지는 못하더라도 생각하며 살고 싶다는 뜻입니다. 그러나 생각하는 것보다 밥이 더 중요하다고 생각하는 사람도 있을 수 있지요.

주장 1은 인간의 외모로 살고 싶다는 주장입니다. 그런데 인간의 모습을 하고 있는 야후는 깊이 생각하지 않고 하고 싶은 대로 무슨 일이든지 합니다. 즉, 늑대 같은 동물과 다를 바가 없는 것이지요.

그렇다면 이렇게 주장하는 근거는 무엇일까요? '사람답다'라는 말은 겉모습도 해당된다고 할 수 있을 겁니다. 사람들이 모여 살고 있는 사회에서 말의 모습을 하고 있다면 이상할 테니까요. 〈미녀와 야수〉에서 왜 야수가 숨어 살아야 했는지 생각해 보면 금방 이해가 될 것입니다. 혹은, 많은 사람들이 경쟁하며 살 수밖에 없으니, 내가 하고 싶은 대로 행동하면서 살고 싶다고 말할 수도 있습니다.

주장 2는 비록 말의 모습이지만 서로 행복하게 살 수 있는 마음을 가지고 살겠다는 것입니다. 휴이넘의 말들은 생각하고 행동하는 데 있어 사람의 좋은 면을 모두 다 갖고 있습니다. 문제는 그들의 모습입니다.

이러한 주장의 근거로는 사람은 겉모습이 중요한 것이 아니라 선한 마음이 중요하다는 점을 들 수 있습니다. 또한 욕심을 가지고 서로 싸우다 보면 인간 사회는 결국 멸망할 수밖에 없다는 근거를 제시할 수도 있습니다.

✓ CHECKPOINT

인간이 인간이라고 불리는 이유를 생각해 봅시다. 그와 동시에 나와 의견이 다른 친구들은 어떤 이유를 이야기할지 생각해 봅시다. 들은 이야기나 읽은 책들에서 내 주장을 뒷받침할 수 있는 예를 든다면 내 주장이 더욱 탄탄해질 것입니다.

다음은 논술 5단계 문제에 대한 학생들의 글입니다. 지도에 참고하시기 바랍니다.

나의 주장 : 나는 동물의 마음을 가진 인간으로 살고 싶다.

나는 비록 짐승처럼 살아도 인간의 모습을 한 야후처럼 살고 싶다. 왜냐하면 나의 외모가 동물이 되는 것은 죽기보다 싫기 때문이다. 내가 만나는 모든 사람들이 말의 모습을 하고 있다면 그것 또한 참을 수 없을 것 같다. 사람은 사람답게 생겨야 보기 좋다. 다른 사람들은 전부 사람의 모습을 하고 있는데 나만 말의 모습을 해야 한다면 나는 다른 사람들과 함께 살 수 없고, 산 속이나 집 안에서만 살아야 할 것이다.

그리고 휴이넘처럼 이성적으로만 살아가는 것도 재미가 없을 것이다. 이성적으로 따져서 옳은 일만 하면서 사는 삶보다는 하고 싶은 것을 마음대로 하면서 사는 삶이 재미있을 것 같다. 야후가 추악한 행동을 한다고 해도 그들에게는 자유가 있다. 하지만 이성적으로 생각하다 보면 자유롭지 못할 때가 많을 것이다.

물론 야후처럼 탐욕스럽게 사는 것은 싫다. 하지만 내 모습이 말처럼 되는 것은 더욱더 싫다. 〈미녀와 야수〉의 야수처럼 사람들의 손가락질을 받는다면 나는 살아가기 힘들 것이다. 그러므로 말과 인간의 모습 중에 하나를 선택해야 한다면, 나는 동물의 마음을 가진 인간이 되고 싶다.

나의 주장 : 인간의 마음을 가지고 있는 말로 살고 싶다.

나는 이성을 가지고 있는 말로서 살고 싶다. 겉모습보다는 선한 마음이 더욱 중요하다고 생각하기 때문이다. 선한 마음은 모든 사람들을 행복하게 만들어 준다. 나는 마음이 고운 사람과 생활하고 싶지, 얼굴만 사람이고 마음은 늑대 같은 사람과는 절대로 살 수 없을 것 같다.

사람들이 어떻게 생겼는지는 중요한 문제가 아니다. 중요한 것은 그 사람의 마음이다. 나의 모습이 말처럼 되는 것이 싫다. 하지만 그렇다고 해서 겉모습만 인간인 채 온갖 추악한 행동을 일삼는 동물로 사는 것은 더욱더 싫다. 그러므로 둘 중에 하나만 되어야 한다면 나는 깊이 있게 생각할 줄 아는 말이 되고 싶다.

이성을 가진 말은 비록 말의 모습을 하고 있지만, 동물의 마음을 가진 야후처럼 자기 욕심만을 내세우지 않는다. 그들은 친구를 욕하지도 않으며, 물건을 더 많이 가지기 위하여 싸우지도 않는다. 서로 욕심을 내어 다투다 보면 싸움이 일어나게 된다. 그리고 그 싸움이 점점 커지다 보면 전쟁도 일어날 수 있다. 그러면 우리는 모두 멸망하게 될 것이다. 그러므로 욕심 없이 사는 말이 더 좋다고 생각한다.

〈좁은 문〉에서 만나요!